書香傳家

毛佩琦書

壬寅孟夏
京師近道堂刊

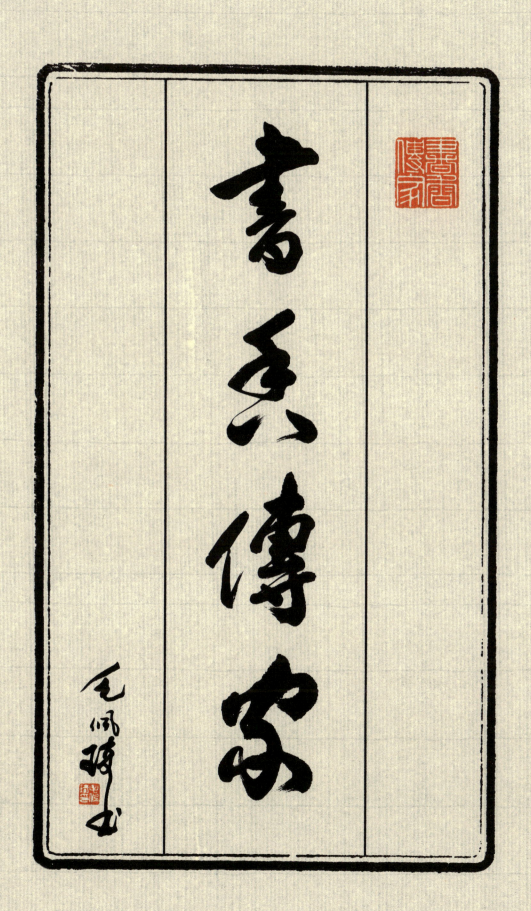

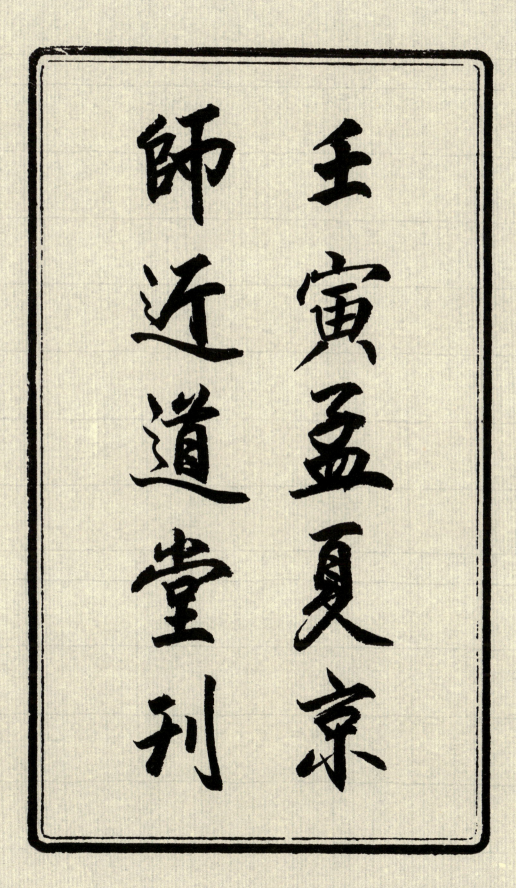

宋詞三百首

第一冊

〔清〕上彊村民 編選
崇賢書院 釋譯

北京聯合出版公司

書香傳家系列圖書學術顧問

樓宇烈（資深國學名家、北京大學哲學系教授）
閻崇年（著名歷史學家、央視《百家講壇》主講人）
毛佩琦（中國人民大學歷史系教授）
王守常（北京大學哲學系教授）
任德山（人文學者、央視有綫173書畫頻道主講人）
呂宇斐（中國美術學院視覺中國協同創新中心客座教授、研究生導師）
孟憲實（中國人民大學歷史系教授）
楊朝明（原中國孔子研究院院長、原國際儒學聯合會副理事長）
董　平（浙江大學哲學系教授）
杜保瑞（上海交通大學特聘教授、臺灣大學哲學系教授）
張　辛（人文書法家、北京大學考古文博學院教授）
辛德勇（北京大學中國古代史研究中心教授）
余世存（文化學者、暢銷書作家）

學術顧問
編纂委員會

書香傳家

書香傳家系列圖書出版編纂委員會

編委會

主　編
李　克（崇賢館館長）
叢書題字
毛佩琦（中國人民大學歷史系教授）
裝幀設計
孫世良　周　亮　楊延京
出版編輯委員會
路　茸　王德重　李宏濤　黃玉蘭　譚　爽　張少華
排版製作
趙樂紅　趙軍安　朱　澤

前言

宋代在我國封建社會的歷史長河中，有著極其重要的角色。隨著商品經濟的發展和兩宋城市的手工業、商業經濟的繁榮，政治上重文輕武，文官享受的待遇不斷優厚，文人墨客開始追求聲色享樂，一面自我掩飾、自我辯解，一面又隱晦地無限抒發不滿，在這樣的環境下，詩體已不適用於表達，而詞因其表述含蓄化、朦朧化而興盛於兩宋。

宋詞是宋代最有特色的文學樣式，兼有文學與音樂兩方面的特點。每首詞都有一個調名，叫做「詞牌」，依調塡詞叫「依聲」。詞別名「長短句」，是繼唐詩後的另一種文學體裁，分爲婉約派、豪放派。

宋代初期的詞沿襲了五代時期的艷麗浮華，流行於市井酒肆之間。當時被認爲是一種粗俗的民間藝術，難登大雅之堂。比如，因「忍把浮名，換了淺斟低唱」而獲罪於仁宗皇帝的柳永，常常流連於歌坊青樓間，給歌伎寫詞。雖有「凡有井水飲處，即能歌柳詞」

的廣泛影響，但柳永在當時并沒有靠著詞達成人生的圓滿。詞在初期代表低俗，以至於晏殊在當了宰相以後，對於以前自己所寫之詞都不願承認是自己所寫。

隨著詞在宋代文學的地位越來越重要，詞的內涵也開始發生變化。李煜的「春花秋月何時了！往事知多少」，「問君能有幾多愁？恰似一江春水向東流」等詞句，充滿了人生苦難無常的悲哀以及亡國之痛；「人不寐，將軍白髮征夫淚」一出，使得祗聞歌筵酒席、宮廷豪門的世人耳目一新；「大江東去，浪淘盡、千古風流人物」給了沉浸在都市風情、脂粉相思的文人振聾發聵之感；宋詞徹底地跳出了歌舞艷情的巢窠，昇華成爲一種代表了時代精神的文學形式。

現代快節奏的生活，讓人們在安逸舒適中漸漸淡忘了那些被吟誦千年的宋詞，婉約、豪放早已成爲了遠逝的背景。千年的宋詞，那種風韻，那種凝重，需要我們細膩地去品味、欣賞。爲了讓今人能重拾這份感動，重新領略宋詞的強大魅力，故崇賢館推出了書香傳家系列的《宋詞三百首》。
《宋詞三百首》最流行的選本是由清末四大詞人之一的朱孝臧（上彊村民）於一九二四年編定的，共收錄宋代詞人八十八家，詞三百首。其選錄標準以混成爲主旨，并求之體格、神致。
書香傳家系列之《宋詞三百首》，繼承古代傳統工藝，對接歷代版刻精華，采用宣紙印裝形式，原文字體選用清乾隆武英殿版刻書字體，以其獨特藝術性和收藏性，鶴立於信息泛濫時代。本書由書家、版刻學家孫世良先生親自指導設計，其審美表現氣象非凡，自成一格。書籍整體裝幀選用明代綫裝書形式，同時融入現代設計元素，古樸典雅中有當代審美氣息。每個時代必有自己的經典與審美的呈現，近道堂「書香傳家系列」，集當代學者和藝術家的思想和創意之精華，致力於打造當代經典的珍稀版本，使其傳之後世。

近道堂
辛丑季冬記於京師

目錄

第一冊

李清照

王國維人間詞話後主之詞真所謂以血書者也宋道君皇帝燕山亭詞亦略似之

趙佶

燕山亭・北行見杏花

裁剪冰綃，輕疊數重，淡著燕脂勻注。新樣靚妝，艷溢香融，羞殺蕊珠宮女。易得凋零，更多少、無情風雨。愁苦！問院落淒涼，幾番春暮？

憑寄離恨重重，者雙燕何曾，會人言語？天遙地遠，萬水千山，知他故宮何處？怎不思量，除夢裏、有時曾去。無據，和夢也新來不做。

詞解 在北行的途中，徽宗看到路邊綻放的杏花，層層花瓣如同輕紗裁疊，淡淡色澤像胭脂勻染。這嬌嫩柔美、芳香美艷的杏花，連天上蕊珠宮的仙女見了，恐怕也要自愧不如。衹是在身爲俘虜的亡國之君眼中看來，杏花雖美卻容易凋零，風雨無情，聯想到自己的處境，怎麼能不令他感到滿懷愁苦呢？他不由得問那淒涼的院落，春暮已到了何時。

看到空中飛舞的燕子，徽宗想託它們向故國寄去重重的離愁別恨，可是燕子卻不識人語。更何況自從被擄掠北上以來，他已經走過了千山萬水，那舊日宮闕又遠在何處呢？百般的思念，卻衹能在夢中重遊故地。誰料如今，

就連這樣的美夢也愈發難得了。徽宗荒淫失國，淪落到如此淒慘的境地，他寫的這首詞也可謂是字字血、聲聲淚了。

錢惟演

木蘭花

城上風光鶯語亂，城下煙波春拍岸。綠楊芳草幾時休？淚眼愁腸先已斷。　情懷漸變成衰晚，鸞鏡朱顏驚暗換。昔年多病厭芳尊，今日芳尊惟恐淺。

黃昇花庵詞選：此公暮年之作，詞極淒惋。

詞解　春回大地之時，詞人登上城頭放眼四望：城上群鶯嬌啼，城下煙波拍岸，無限春光令人心醉。可是他遠遭貶謫，人生失意，心中滿懷愁緒，再美好的風景也衹能徒添傷感。眼前綠楊芳草連綿無盡的美景，他卻衹能用淚眼愁腸來面對。

人生漸漸步入晚景，詞人感到情懷衰減，大不如往昔，舉鏡自照，鏡中的容顏日益蒼老，更讓他看了暗自驚心。他從前因爲體弱多病不喜歡飲酒，而如今終日借酒澆愁，卻衹怕酒杯太淺，無法消解胸中那深深的哀愁。

范仲淹

漁家傲·秋思

塞下秋來風景異，衡陽雁去無留意。四面邊聲連角起。千嶂裏，長煙落日孤城閉。　濁酒一杯家萬里，燕然未勒歸無計。羌管悠悠霜滿地。人不寐，將軍白髮征夫淚。

魏泰東軒筆錄：范文正公守邊日作漁家傲樂歌數闋，皆以塞下秋來風景異爲首句，述邊鎮之苦。歐陽公常呼之爲窮塞主之詞。

詞解　秋色漸起，邊塞的景色變得十分荒涼，與往日大不相同，南歸的大雁毫不停留地飛去了衡陽。每當城頭號角吹動，四面裏就隨之響起塞上特有的邊聲，讓人聽了頓生悲涼之感。群山環抱中，一縷長煙直上雲天，一座孤城在夕陽映照下緊閉著城門。詞人守邊數年，他看到這樣蒼茫而壯闊的塞上景象，不禁百感交集。

舉起一杯濁酒，詞人思念起遠在萬里之外的家鄉，可是邊患未靖，戍邊的人們終究有家難回。夜來寒霜覆蓋了大地，遠處傳來悠揚而哀傷的羌笛聲。作爲一軍主帥，他深知將士們在漫漫長夜裏常常因爲思念家鄉而難以入眠。詞人因此深歎征戰無功，無論將軍還是士兵，他們的頭上已生出了白髮，眼中都含著辛酸的淚水。

蘇軾題張子野詞跋子野詩筆老妙歌詞乃其餘波耳

沈際飛草堂詩餘斷腸二句俊極與一一春鶯語比美

蘇幕遮

碧雲天，黃葉地。秋色連波，波上寒煙翠。山映斜陽天接水，芳草無情，更在斜陽外。　黯鄉魂，追旅思。夜夜除非，好夢留人睡。明月樓高休獨倚，酒入愁腸，化作相思淚。

詞解　時值秋季，詞人舉目眺望，衹見一天碧雲，滿地黃葉，蒼茫的秋色一直綿延到遠方的水波之上，與空濛的煙波連成一片明翠。夕陽映照著遠山，一江寒水遠流天邊，餘暉殘照之下，隔岸更有一望無際的芳草地。這秾麗的秋景、壯闊的風物，最易觸動漂泊遊子的思鄉之情。

詞人遠離家園，睹景生情，去國懷鄉的羈旅之思總是令他黯然神傷。唯有夜夜流連於夢境，纔能一時忘卻離愁。可是好夢不常有，孤夜難眠的時候，衹能倚樓望月，藉酒澆愁。但詞人卻發出了「明月樓高休獨倚」的感歎，因爲酒入愁腸，化作相思淚，會讓人覺得更難以承受。

張先

千秋歲

數聲鶗鴂，又報芳菲歇。惜春更選殘紅折。雨輕風色暴，梅子青時節。永豐柳，無人盡日飛花雪。　莫把幺絃撥，怨極絃能說。天不老，情難絕。心似雙絲網，中有千千結。夜過也，東窗未白凝殘月。

詞解　當杜鵑啼鳴的時候，就又到了花草凋零的暮春時節，詞人懷著惜春之情，輕輕摘下枝頭的殘花。人雖惜花，大自然卻無情，畢竟到了雨疏風狂、梅子初長的時節，漫天飄舞著飛雪一般的柳絮，那長在無人之處的垂柳，就像永豐坊荒園裏的柳樹一樣淒清寂寞。

衹因心懷惆悵，詞人不願撥起琵琶的幺絃，因爲幺絃聲激越哀怨，似乎在傾訴心中的憂愁，衹會令人徒增傷感。蒼天不會衰老，人的感情也不會滅絕，詞人感歎自己的心好似雙絲織成的愁網，其中有千千萬萬的情結。情思百轉之中，漫漫長夜已悄然過去，這時東窗未白，天邊殘月猶明，詞人又度過了一個輾轉不眠的夜晚。

菩薩蠻

哀箏一弄湘江曲，聲聲寫盡湘波綠。纖指十三絃，細將幽恨傳。　當筵秋水慢，玉柱斜飛雁。彈到斷腸時，春山眉黛低。

詞解　在一次筵席的時候，詞人聽到一位彈古箏的歌女奏起一曲哀傷的陳廷焯詞壇叢話：張子野詞才不大而情有餘，別於秦柳晏歐諸家，獨開妙境，詞壇中不可無此一家。

《湘江曲》，樂聲讓人聯想到湘江的碧波。這位歌女技藝高超，她的纖纖玉指撥弄起古箏的十三根琴絃，便將人們心中的幽怨之情表達了出來。

在他人的筵席上，這位歌女專心致志地演奏古箏，她清澈的眼波衹凝視著斜如雁行的箏柱。當彈到樂曲傷心斷腸的時候，她雙眉緊蹙，低下頭去。不料這一幕全被一旁的詞人看在眼裏，他也深深地受到了感染。

青門引

乍暖還輕冷，風雨晚來方定。庭軒寂寞近清明，殘花中酒，又是去年病。 樓頭畫角風吹醒。入夜重門靜。那堪更被明月，隔牆送過鞦韆影。

詞解 清明時節，氣候還冷暖不定，有時候風雨交加要直到傍晚纔停下。詞人獨自居住在寂寞的庭軒裏，面對這悲涼的景象，情何以堪？羈恨難消，頻年如此，他在對花飲酒的時候，又不禁勾起了去年的傷春之病。

到了夜晚，萬籟俱寂，詞人忽然被遠遠傳來的畫角聲吹醒，不由得百感交集，悲從中來。最令人傷感的是，明月映照之下，詞人可以看到隔壁鞦韆飛蕩的影子。他人的歡樂之情與自己的孤寂淒涼一經對照，他更加覺得愁不可抑了。

王國維人間詞話：雲破月來花弄影，著一弄字而境界全出矣。

醉垂鞭

雙蝶繡羅裙，東池宴，初相見。朱粉不深勻，閑花淡淡春。 細看諸處好，人人道，柳腰身。昨日亂山昏，來時衣上雲。

詞解 詞人深切記著在東池的酒宴上初次遇到的那個貌美歌妓，她穿著繡有雙飛彩蝶的羅裙翩然而至。她嬌美的臉上衹輕敷著一層淡淡的胭脂花粉，恰如春日裏素雅的花朵，有著一種恬淡素雅的風韻。

這位歌妓的美貌一下子吸引住了詞人的眼球，詞人忍不住定睛仔細打量她。細細端詳，她全身無處不可愛，人人都誇讚她細柔的腰身好比弱柳臨風。昨天晚上，當山已暮色蒼茫的時候，她像仙女似的，身披輕柔的雲霞而來。

天仙子

時爲嘉禾小倅，以病眠，不赴府會。

水調數聲持酒聽，午醉醒來愁未醒。送春春去幾時回？臨晚鏡，傷流景，往事後期空記省。 沙上並禽池上暝，雲破月來花弄影。重重簾幕密遮燈，風不定，人初靜，明日落紅應滿徑。

詞解　詞人手持酒杯，一邊飲酒，一邊聽著《水調》曲子。他本想藉聽曲飲酒來消愁，可是不僅沒有解愁，反而心裏更煩了，於是飲了幾杯悶酒後便昏睡了過去。一覺醒來已過了午時，醉意雖消，但心中的愁意卻絲毫未減。詞人到底因何而愁呢？他說：「我送走了春天，不知春天何時能再回來？」冬去春便會來，可是就人生而言，青春一去有誰能挽回呢？晚上詞人臨鏡而自悲，歎息青春已逝，往事如煙，當年的情景和許下的誓約還清楚地記得，但這一切除了能勾起愁緒外，又有何用？

夜幕降臨了，沙灘上雙棲雙宿的鴛鴦已棲息。風兒吹走了流雲，花兒在月光臨照下婆娑弄影，此景給詞人孤寂的情懷注入了些許安慰。夜已深，風兒依舊在吹，人們都早已閉門關窗，漸漸進入了夢鄉，誰也不會理會外面的風聲。唯有詞人夜不能寐，傾聽著夜間動靜，猜想經此一夜風吹，明天小路上一定落滿了花瓣。

木蘭花

乙卯吳興寒食

龍頭舴艋吳兒競，筍柱鞦韆遊女並。芳洲拾翠暮忘歸，秀野踏青來不定。行雲去後遙山暝，已放笙歌池院靜。中庭月色正清明，無數楊花過無影。

詞解　詞之上闋描寫寒食節日的熱鬧歡樂。吳興年輕健兒駕舞龍舟，在水面疾飛競渡。姑娘們紛紛走出閨房，雙雙對對，蕩著鞦韆，盡情遊樂。郊外草木競秀，春色明媚，遊春的人們興致正濃。夕陽西下，踏青的人們仍來往遊不絕，秀美的春景使他們流連忘返。

下闋轉寫熱鬧後的幽靜。行雲飄去，遠山漸漸暗了下來，遊春的人們散後，郊外一片寂靜。笙歌已息，喧囂一天的池院，此刻顯得格外寧靜。庭中月色清明，點點楊花飛舞，清輝迷濛，花過卻無影。全詞情景交融，從熱鬧歡樂漸趨恬靜寧謐，成功地表達出一個悠閑的耄耋老人所特有的心理狀態。

晏殊

浣溪沙

一曲新詞酒一杯，去年天氣舊亭臺，夕陽西下幾時迴？　無可奈何花落去，似曾相識燕歸來，小園香徑獨徘徊。

詞解　賦一曲新詞，飲一杯清酒，天氣還同往年一樣，詞人站在舊日的亭吳梅《詞學通論·概論二》：惟「滿目山河空念遠，落花風雨更傷春」二語，較「無可奈何」勝過十倍，而人未之知，可云陋矣。

俞陛雲《唐五代兩宋詞選釋》：言情深秘處，全在紅箋小字，以景中情作結束，詞格甚高。

臺前，遙望著漸漸西下的夕陽。這些景象，在詞人看來依稀都還是從前的光景，然而物是人非，他不由得生起了離索之感。

春盡花落，令人無可奈何，舊日相識的燕子回到舊巢，讓人稍感安慰。可是故人不再，詞人衹能在小園香徑上獨自徘徊。這裏儘管通篇不著一句懷念之語，但從景物的描摹中，詞人已含蓄委婉地表達出傷春懷人之情，更抒發了對人事變遷、光陰流逝的惆悵。

浣溪沙

小閣重簾有燕過，晚花紅片落庭莎。曲闌干影入涼波。 一霎好風生翠幕，幾回疏雨滴圓荷。酒醒人散得愁多。

詞解 匆匆一過的穿簾燕子，莫非是來自遠方的使者，給簾內人帶來了春將歸去的消息。這消息如同在平靜的水面投下一枚小石子，立刻泛起層層波瀾，一下子打破了小閣周圍寧靜的空氣。閣中人目隨燕影，向庭院看去。原來時已暮春，庭院滿地落紅。春末多雨，更兼庭中少行跡，滿庭莎草已是一派濃綠。庭院中池邊的曲曲欄杆，倒影於池塘寒涼的碧波之中。

突然間，一陣風吹來，翠幕生寒，孤身獨處，情何以堪。稀疏的雨滴落在

嫩綠的荷葉上，聲音本是極細極微，但偏偏閣中人卻聽得清清楚楚。簾外之淒清冷落如彼，簾內之空虛寂靜如此。酒醒人散之後怎麼能不令人愁苦呢！

浣溪沙

一向年光有限身，等閑離別易銷魂，酒筵歌席莫辭頻。 滿目山河空念遠，落花風雨更傷春。不如憐取眼前人。

詞解 想到人生光陰有限而離別常有，詞人不由得黯然銷魂，因此他藉酒自遣，並勸人們及時行樂，不要嫌酒筵歌席太頻繁而推辭。

無論朋友還是愛人，當他們離別之後，詞人衹能望著滿目山河而空懷惆悵，看著落花風雨而枉自傷春。他進而感悟到：與其離別後苦苦懷念，不如趁著歡聚之時，好好珍惜身邊的人。

清平樂

紅箋小字，說盡平生意。鴻雁在雲魚在水，惆悵此情難寄。 斜陽獨倚西樓，遙山恰對簾鉤。人面不知何處，綠波依舊東流。

詞解 詞人懷念遠方的愛人，他一字一字，將平生的相思之情都寫在紅色的信箋上。然而天上的鴻雁、水裏的游魚無法替他傳遞書信，他所思念的人

俞陛雲唐五代兩宋詞選釋：純寫秋來景色，惟結句略含清寂之思，情味於言外求之，宋初之高格也。

馮金伯詞苑萃編：重頭、入破，皆管絃家語也。

難以瞭解這份情誼，詞人感到無限惆悵。

懷著這種心情，日暮時分詞人獨自登上西樓，望見遙遙青山正對著簾鉤。碧綠的江水和從前一樣，還是日夜東流，但昔日的愛人已不知去了何方。物是人非的情狀，引起他無窮無盡的相思之情。

清平樂

金風細細，葉葉梧桐墜。綠酒初嘗人易醉，一枕小窗濃睡。　紫薇朱槿花殘，斜陽卻照闌干。雙燕欲歸時節，銀屏昨夜微寒。

詞解　秋風輕輕吹過，梧桐葉隨風飄落。詞人初嘗新酒，不勝酒力，便枕在小窗下熟睡了一夜。這景象清新閑適，自然溫婉，透露出詞人的清寂之思。詞人醒來的時候，看見庭院蕭瑟：紫薇和朱槿花都凋落了，夕陽的餘暉斜照在花園的欄杆上。這正是雙雙燕子要離開的時節，昨夜醉臥銀屏之側，已微微地感到寒冷了。詞人既惜燕子將歸，又爲自己淒清的處境而傷懷，但他委婉含蓄，語不說盡，給人留下了無窮餘韻。

木蘭花

燕鴻過後鶯歸去，細算浮生千萬緒。長於春夢幾多時，散似秋雲無覓處。　聞琴解佩神仙侶，挽斷羅衣留不住。勸君莫作獨醒人，爛醉花間應有數。

詞解　燕鴻離開之後，黃鶯也飛走了，詞人惆悵地想到浮生易逝，美好的事物難以長久，千愁萬緒都湧上了他的心頭。快樂的日子十分短暫，如同春夢易醒。而一旦曲終人散，就像秋雲一樣不知散落何方。人世變遷無情，即使是像卓文君、司馬相如這樣的神仙眷侶，挽斷羅衣也依然留不住，又何況是詞人身邊的良人美景呢？因此他感歎不要做「衆人皆醉我獨醒」的人，爛醉花間自有定數，生活貴在行樂。他雖想故作灑脫之語，卻依然帶著無可奈何的淡淡哀傷。

木蘭花

池塘水綠風微暖，記得玉真初見面。重頭歌韻響琤琮，入破舞腰紅亂旋。　玉鉤闌下香階畔，醉後不知斜日晚。當時共我賞花人，點檢如今無一半。

詞解　又到了池塘水綠、春風和煦的時節，詞人想起往日的宴會上曾見過一個能歌善舞的舞妓。她在動聽的琴聲伴奏下唱的重頭別有韻致，而她隨

唐圭璋唐宋詞简释足抵一篇别赋

著曲調入破跳起舞來，衹見紅色的舞裙飛旋，令人讚嘆不已。這種歌舞的場面，也衹有在詞人這樣出身富貴的人家纔能夠看到。

歡宴過後，玉鉤掛起珠簾，詞人斜倚在欄杆下的石階旁，他醉意矇矓，不曾留意到落日已經西斜。但在醉意之中，他卻還清楚地想到：當時和自己一起賞花飲酒、觀看歌舞的人，如今算來已剩下不到一半了。歡樂過後，物是人非的感受就更令人覺得淒涼了。

踏莎行

細草愁煙，幽花怯露，憑闌總是銷魂處。日高深院靜無人，時時海燕雙飛去。　帶緩羅衣，香殘蕙炷，天長不禁迢迢路。垂楊衹解惹春風，何曾繫得行人住！

詞解　小草上籠罩著迷濛的煙靄，花蕊上點點的露珠微顫。那細草煙靄之中好像蘊含著一種憂傷的韻味，那幽花露水之中好像暗含有一種膽怯的感覺，倚靠著欄杆遠望，甚是銷魂。現在雖是艷陽高照，但是深深的庭院中寂靜無人，衹有雙雙海燕時常飛來飛去，給孤獨的人留下了一縷綿綿無盡的情思。

羅衣飄飄，爲伊消得人憔悴。香斷成灰，蠟炬成灰淚始乾。天長路遠難相見。楊柳柔條隨風擺動，婀娜多姿，這多情、纏綿的垂柳，不過是牽惹春風罷了，它哪能用一根柔條留住那要走的人？又有哪一根柔條能把那消逝的美好往事挽回？

踏莎行

祖席離歌，長亭別宴，香塵已隔猶回面。居人匹馬映林嘶，行人去棹依波轉。　畫閣魂消，高樓目斷，斜陽衹送平波遠。無窮無盡是離愁，天涯地角尋思徧。

詞解　詞人在路邊的長亭裏爲遠行的友人設宴餞行，一聲聲離歌讓人覺得依依不捨，儘管路上的塵土隔斷了身影，兩人依然回頭相望。送別的人勒馬佇立，馬兒隔著樹林不住嘶鳴。遠行的人停槳回望，行舟隨著江水流轉。這番對照，足見兩人深厚的友誼和難捨之情。

友人乘舟遠去，詞人衹得登樓遠望，然而小舟轉瞬行遠，衹留下無盡的斜陽映照著無邊的水波，徒教人目斷遠空、黯然銷魂。詞人的心已隨著友人一同遠去了，無論天涯地角，他都會時刻思念友人，因此更覺離愁眞是無窮無盡了。

俞陛雲唐五代兩宋詞選釋：寫景明秀，通首於景中隱寓情思，有含毫邈然之意

踏莎行

小徑紅稀，芳郊綠徧，高臺樹色陰陰見。春風不解禁楊花，濛濛亂撲行人面。　翠葉藏鶯，朱簾隔燕，爐香靜逐遊絲轉。一場愁夢酒醒時，斜陽卻照深深院。

詞解　小徑上花朵稀疏，綠草遍地，高臺上樹色暗暗顯露，又到了暮春時節。春風不懂得管束楊花，讓它漫天飛舞，亂撲行人之面。這委婉細膩的景致，透露出詞人心裏淡淡的惆悵。

傍晚時分，黃鶯藏在翠葉之下，燕子隔在垂簾之外，香爐裏的煙氣靜靜地追逐著屋中的遊絲旋轉。詞人酒醒夢回，看到這靜謐而黯淡的景象，看到窗外斜陽的餘暉照著寂靜的深院，悵惘之情不禁油然而生。

蝶戀花

六曲闌干偎碧樹。楊柳風輕，展盡黃金縷。誰把鈿箏移玉柱？穿簾海燕驚飛去。　滿眼遊絲兼落絮。紅杏開時，一霎清明雨。濃睡覺來鶯亂語，驚殘好夢無尋處。

詞解　初春時節，春風和煦，六曲欄杆依偎在碧綠的樹木旁，楊柳在風中

舒展著嫩黃的枝條。不知是誰彈起了古箏，驚得燕子穿過垂簾雙雙飛走了。詞人出身富貴之家，他的生活充滿了這樣舒適嫻雅的情趣。

滿眼都是初生的柳條和飄飛的柳絮。清明時節，紅杏花開，一霎的細雨令人愜意。詞人從睡夢中醒來，黃鶯的聲聲啼鳴，讓他忘卻了夢中所見的情景。他雖然有些遺憾好夢醒來無處可尋，但眼前春景怡人，他的心情依然愉悅而恬淡。

沈雄古今詞話：此鳳簫吟詠芳草以留別，與蘭陵王詠柳以敘別同意

破陣子

燕子來時新社，梨花落後清明。池上碧苔三四點，葉底黃鸝一兩聲，日長飛絮輕。　巧笑東鄰女伴，採桑徑裏逢迎。疑怪昨宵春夢好，元是今朝鬭草贏，笑從雙臉生。

詞解　春社時，燕子已歸來，天氣漸漸轉暖，梨花剛剛凋謝，柳絮又開始飛揚。園子裏有個小小的池塘，池邊點綴著幾點青苔，在茂密的枝葉深處，時時傳來黃鸝清脆的叫聲。

趁著這暮春初夏的季節，少女們停了針綫，來到這大自然的懷抱裏。這時，東邊鄰居家的女伴笑吟吟地走了過來，與夥伴們在那條去採桑葉的小路上

相逢了。少女們打鬧著、說笑著。難怪昨夜我做了個美夢，原來這個美夢是預兆我今天鬬草遊戲會獲得勝利啊！一想到這裏，我不由得臉頰上都浮現出了笑意。

韓縝

鳳簫吟

鎖離愁，連綿無際，來時陌上初薰。繡幃人念遠，暗垂珠露，泣送征輪。長亭長在眼，更重重、遠水孤雲。但望極、樓高盡日，目斷王孫。　消魂。池塘別後，曾行處、綠妒輕裙。恁時攜素手，亂花飛絮裏，緩步香茵。朱顏空自改，向年年、芳意長新。遍綠野、嬉遊醉眠，莫負青春。

詞解　詞人即將告別家人、遠赴北國，他在這首詞中化用了許多前人的詩句，藉詠草來抒發離別之情：當初來的時候，原野上芳草初生，那情景已是深鎖離愁。詞人的妻子含淚送別丈夫，她看著愛人遠去的車影，傷心落淚久久不願離去。愛人越走越遠，行行重行行。遠處雲水相連，她又登高極目，從早到晚，直到再也望不見丈夫的蹤影。

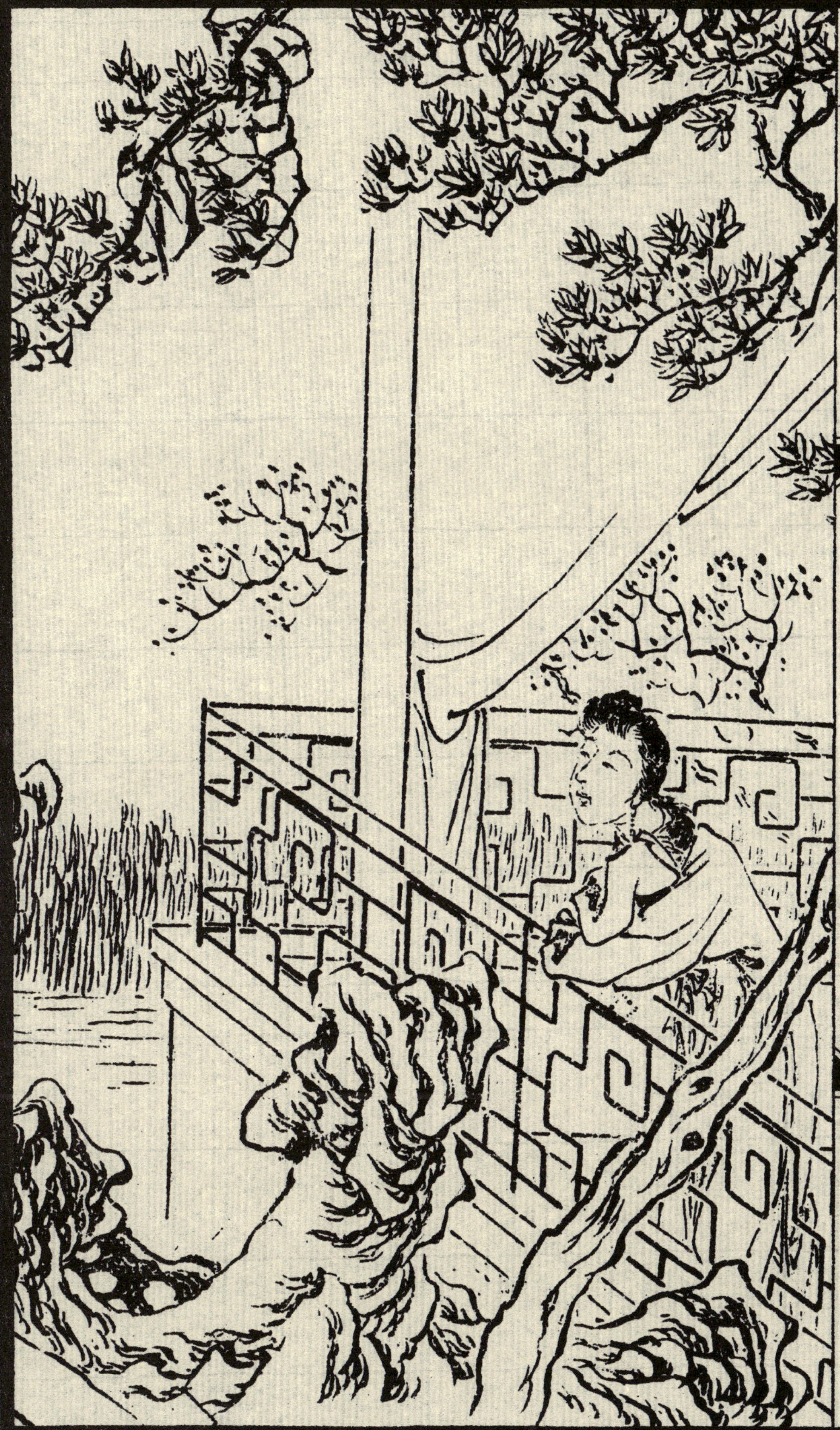

妻子如此深情，詞人又何嘗不思念她呢？他模擬女子的口吻，想象妻子的情況：追憶往昔，她一定會黯然神傷。當初兩人漫步的池塘邊已長滿了春草，她空想將來，什麼時候纔能與愛人再度攜手，共賞春光？芳草年年如新，衹怕她卻會因爲思念愛人而紅顏憔悴。詞人不忍看到這一幕，因此發出殷切的叮嚀：春草滿地、風光無限的時候，一定要盡情行樂，千萬不要辜負了青春啊！

宋祁

玉樓春

東城漸覺風光好，縠皺波紋迎客棹。綠楊煙外曉雲輕，紅杏枝頭春意鬧。浮生長恨歡娛少，肯愛千金輕一笑？爲君持酒勸斜陽，且向花間留晚照。

劉體仁七頌堂詞繹一鬧字卓絶千古

詞解　詞人記叙風流嫻雅的春遊之趣，人向東城走去，衹覺風光越來越好。泛舟水上，輕波細浪迎著遊船，令人心曠神怡。岸邊綠楊籠煙，曉雲輕寒，樹枝上紅杏花繁，令人覺得生機勃勃、春意盎然。

面對這樣的樂事和美景，詞人早把憂愁拋到了一邊，他感歎人生漂浮，快樂太少，應該及時行樂，因此決不會爲了吝惜金錢而不肯縱情歡娛。衹是人生苦短，光陰易逝，不知不覺間已經夕陽西下了。詞人眞想舉起酒杯勸說斜陽，請它向花間留一些晚照，讓歡樂的時光再延續一會兒吧。

歐陽修

蝶戀花

庭院深深深幾許？楊柳堆煙，簾幕無重數。玉勒雕鞍遊冶處，樓高不見章臺路。　雨横風狂三月暮。門掩黄昏，無計留春住。淚眼問花花不語，亂紅飛過鞦韆去。

李廷機新刻注釋草堂詩餘評林首句叠用三個深字最新奇後段形容春暮光景殆盡

詞解　居住在庭院深處閨閣中的少婦，在暮春時節，孤寂難遣、百無聊賴，凴窗而望，滿眼是早晨楊柳枝上的層層霧氣，一眼望不到邊的是那數不盡的簾幕和幽深沒有盡頭的庭院。生活在這種内外隔絕的幽邃環境中，可憐的少婦身心備受壓抑，形同囚居禁錮。情人薄倖，冶遊於章臺路而忘歸。可歎自己就像這春光一般，韶華易逝，紅顏易老。

三月的暮春，狂風暴雨摧殘著那些即將凋敗的花兒，催送著殘春，也催送女主人公的芳年。她想挽留住春天，但風雨無情，留春不住。無奈之下，她衹王國維人間詞話：終日馳車走，不見所問津，詞人之憂世也。百草千花寒食路，香車繫在誰家樹，似之。

戊辰成語六一婉麗實妙於蘇

好掩門而歎，把感情寄託到命運同她一樣的花兒之上。女主人公望著殘敗的花兒，聯想到自己的命運，不禁傷心淚下，於是她向著花兒癡情地發問，可花兒不但保持緘默，無言以對，還故意拋捨她似的紛紛飛過鞦韆而去。人兒走馬章臺，花兒飛過鞦韆，有情之人、無情之物對她都報以冷漠，怎能不讓人傷心斷腸。

蝶戀花

幾日行雲何處去？忘了歸來，不道春將暮。百草千花寒食路，香車繫在誰家樹？　淚眼倚樓頻獨語，雙燕來時，陌上相逢否？撩亂春愁如柳絮，依依夢裏無尋處。

詞解　這是一首閨怨詞。丈夫如行雲一樣遊蕩在外，不知身在何處。他忘了歸來，不理睬春色將暮，也不理睬妻子獨守閨中、青春虛度。百草千花的寒食節裏，踏春路上遊人雙雙對對，他四處尋歡作樂，又把自己的車子繫在了誰家的樹下呢？

妻子獨自倚樓眺望，孤獨地等候丈夫，她含著眼淚癡癡獨語，看著雙雙燕子飛來飛去，真想問它們有沒有在路上遇見他？她思念著無情的愛人，滿心愁怨如同漫天飄舞的柳絮一樣無窮無盡，然而她的愛人身在何處呢？她甚至在夢中也尋他不見，他是否知道自己的思念和癡情呢？全詞塑造了一個情怨交織於心的閨中思婦形象。語言清麗婉約，悱惻感人。

木蘭花

別後不知君遠近，觸目淒涼多少悶！漸行漸遠漸無書，水闊魚沈何處問？　夜深風竹敲秋韻，萬葉千聲皆是恨。故欹單枕夢中尋，夢又不成燈又燼。

詞解　分別之後不知你的行蹤，心中惆悵不安，觸目所及盡是淒涼。你離家的日子越久寄回的書信就越少，漸漸杳無音訊。沒有家書，我該怎麼纔能打聽到你的消息，該向何人問訊？

深夜裏秋風吹著竹葉發出沙沙的響聲，在我眼中，千萬片竹葉之上寫滿了愁思，在我耳中，千萬種聲響充滿了哀怨。既然收不到你的家書，衹好斜靠孤枕在夢中尋覓，可恨即使是在夢中也找不到你的身影。不知不覺，油燈已盡，天色已經微微發亮。收不到你的家書倒也罷了，爲何連夢中相遇都不可得呢？

黃蓼園蓼園詞選按第一闋寫世上兒女多少得意歡娛第二闋白髮句寫老成意趣自在衆人喧嚣之外末句寫得無限淒愴沉鬱妙在含蓄不盡

浣溪沙

堤上遊人逐畫船，拍堤春水四垂天。綠楊樓外出鞦韆。 白髮戴花君莫笑，六幺催拍盞頻傳。人生何處似尊前。

詞解 河堤之上遊人如織，笑語喧鬧。湖面上畫船輕漾，春水連天拍打著堤岸，堤上踏青賞春之人追隨著畫船在行走，好一幅踏青賞春的圖畫！然而這圖畫的點睛之處，卻不在堤上、湖上，而在湖岸邊、院牆內的高樓下。那綠楊叢中蕩起的鞦韆，那隨著鞦韆飛舞而生的盈盈笑聲，那青春少女的歡暢，纔是春天氣息蕩漾的所在。因爲它一直深錮牆內，而如今這份青春快樂鼓蕩而出，便分外打動人心，平添了勃勃生機，盎然生氣。

獨自在畫船中酣酒取樂的詞人，此時也顧不得矜持，不顧及被人竊笑，情不自禁地在白髮之上插入一朵鮮花，添上一段春色。就讓詞人在這絲竹繁奏、酒杯頻傳之中，與民同樂，同慶春天的到來，在春醪中沉醉，希冀因此可以忘卻貶官潁州的煩惱。人生之不如意十之八九，衹有在酒席之前，痛快地飲，淋漓地醉，纔能宣泄心中的苦悶，忘卻世事的繁蕪。

卓人月古今詞統芳草更在斜陽外行人更在春山外兩句不厭百回讀

踏莎行

候館梅殘，溪橋柳細，草薰風暖搖征轡。離愁漸遠漸無窮，迢迢不斷如春水。 寸寸柔腸，盈盈粉淚，樓高莫近危闌倚。平蕪盡處是春山，行人更在春山外。

詞解 客舍旁邊的梅花凋殘，落英點點；溪橋河畔柳條綻綠，柔絲纖纖；暖風習習，吹來青草的芬芳。在這美好的時節裏，遊人卻要騎馬遠行。馬兒越走越遠，離愁漸漸襲上心頭。走得越遠，心中的愁思越發濃郁，就像那迢迢不斷的春水，連綿不絕。

遠行的遊人明白，獨自留守家中的閨中人，會因爲思念他而淚眼盈盈，柔腸寸斷。遊人在心裏對她說：「你切莫要登上高樓，倚欄而望，就算你登高遠眺，又能看得見什麼呢？」行人想象閨中人憑高望遠，而不見所思之人，心中必定會更加惆悵而淚濕紅妝。登高遠望，展現閨中人眼前的是一片雜草繁茂的原野，原野的盡頭是隱隱春山。她所思念的人，更遠在若隱若現的春山之外，渺不可尋。但無論如何，樓頭思婦凝目遠望、神馳天外，她的一往情深，正越過春山的阻隔，伴隨著漸行漸遠的征人飛向天涯。

俞陛雲宋詞選釋下闋四句極肖湖上行舟波平如鏡之狀不覺船移四字下語尤妙

采桑子

輕舟短棹西湖好，綠水逶迤，芳草長堤，隱隱笙歌處處隨。　無風水面琉璃滑，不覺船移，微動漣漪，驚起沙禽掠岸飛。

詞解　架起輕舟划著短槳，輕輕從西湖水面上划過，這西湖的風景是如此美麗，讓人置身其中，如在畫中。碧綠的湖水曲曲折折，連綿不絕，水波蕩漾，芳草萋萋，綿亘到遠方，與湛藍的天空連成一片。船行水中，隱約可以聽見西湖岸邊到處是悠揚的歌聲，那歌聲伴隨著笙管的演奏，婉轉悅耳。

無風的時候，湖面平靜澄澈，如同精緻的琉璃一樣，晶瑩碧透。不知不覺中，小舟在水中緩慢划行，船身輕動，水面蕩起層層漣漪，水波驚起了棲息在岸邊的沙鷗，它們倏忽一下子飛起來，掠著西湖堤岸飛翔盤旋。這首詞描繪出一幅生機勃勃的春日西湖美景圖，碧水藍天、長堤笙歌、輕舟沙鷗，清新可愛，美不勝收，讀罷使人如同身臨其境，賞心悅目。

生查子

去年元夜時，花市燈如晝。月上柳梢頭，人約黃昏後。　今年元夜時，月與燈依舊。不見去年人，淚滿春衫袖。

詞解　還記得去年元宵佳節的時候，街市上到處人來人往，熱鬧非常。在滿街花燈的映照下，圓月的夜晚如同白晝。詞人焦急地等待著心上人到來，從月亮還沒出現的時候就已經等候在相約地點。終於，月亮爬上了柳樹的枝頭，心上人也出現在這黃昏之中，那圓圓的月亮，映照著地上成雙的人兒，甜甜蜜蜜，團團圓圓。

轉眼已過一年，又是一年元宵節，今年的節日與去年並沒有什麼不同，一樣的滿街燈火，一樣的熙來人往。可惜，月色如昨，卻再也照不到那昔日的倩影。如今，物是人非，詞人的心上人早已離去，祇留下詞人自己，看著眼前熟悉而又陌生的景物，黯然神傷，淚灑衣衫，爲離去的心上人，也爲自己一去不回的年少時光。少年不識愁滋味，人月成雙，而今識盡愁滋味，對月影成雙。這首相思詞寫得情真意切，纏綿悱惻，感人至深。

柳永

雨霖鈴

寒蟬凄切。對長亭晚，驟雨初歇。都門帳飲無緒，留戀處、蘭舟催發。執手相看淚眼，竟無語凝噎。念去去、千里煙波，暮靄沉沉楚天

馮金伯詞苑萃編柳七曉風殘月謂可令十七八女郎按紅牙檀板歌之此袁綯語也後人遂奉爲美談

趙仁珪論宋六家詞柳詞曲折委婉而中具渾淪之氣雖多俚語而高處足冠群流倚聲家當尸而祝之

闊。

多情自古傷離別。更那堪、冷落清秋節！今宵酒醒何處？楊柳岸、曉風殘月。此去經年，應是良辰好景虛設。便縱有、千種風情，更與何人說？

詞解 在黃昏的一場驟雨過後，長亭外響起秋蟬淒切的噪鳴聲，詞人即將與戀人分別。在餞行的酒席上，詞人面對美酒佳肴毫無興致，無論他多麼戀戀不捨，船上都不斷傳來催促啓程的呼喚。臨別之際，他與戀人手拉著手，淚眼相對，心中縱有千言萬語，一時間卻哽咽無語。船越走越遠，他這就要前去煙波浩渺、千里之外的南國，楚天空闊，暮靄沉沉，他的心中充滿了淒苦。

自古以來，多情的人最爲離別而傷懷，何況是在蕭瑟冷清的秋季，離愁更甚於平時。詞人想著今夜酒醒的時候，自己將身在何方呢？也許船兒會停泊在楊柳低拂的岸邊，那時曉風習習，殘月當空。可是他這一去，年復一年，不知何時纔能歸來，這樣的良辰美景如同虛設，衹能徒添惆悵。離開了心愛的戀人，縱然有人世間千般風情，又能和誰一同欣賞呢？

望海潮

東南形勝，三吳都會，錢塘自古繁華。煙柳畫橋，風簾翠幕，參差十萬人家。雲樹繞堤沙。怒濤捲霜雪，天塹無涯。市列珠璣，戶盈羅綺，競豪奢。

重湖疊巘清嘉。有三秋桂子，十里荷花。羌管弄晴，菱歌泛夜，嬉嬉釣叟蓮娃。千騎擁高牙。乘醉聽簫鼓，吟賞煙霞。異日圖將好景，歸去鳳池誇。

詞解 杭州是東南地區的形勝要地，是三吳一帶的重要都市，自古就以繁華而聞名。輕煙籠罩的楊柳、精緻美觀的小橋、隨風輕拂的垂簾、翠綠華貴的羅幕，這些旖旎雅致的事物參差錯落在十萬人家之間。遠望城郊，鬱鬱蔥蔥的樹木猶如雲霧一般環繞著錢塘江的沙堤，澎湃的江濤捲起霜雪一般的白浪，壯闊的錢塘江無邊無涯。街市上處處珠光寶氣，市民們穿著綾羅綢緞，競相過著奢華的生活。

杭州西湖秀美多姿，舉世聞名。這裏湖中有湖，山外有山，重重疊疊，景色清雅。秋天桂花飄香，夏季荷花開遍，四時風物迷人。無論白天還是夜晚，湖面上都蕩漾著優美的羌笛樂曲和採菱歌聲，漁翁和採蓮姑娘其樂融融，杭州百姓過著怡然自得的生活。因爲是投贈之作，詞人將杭州的富庶與繁華歸美於郡守：郡守帶人出巡，旗幟飄揚非常威風。他乘醉聽簫鼓，吟賞煙霞美景，十分風流儒雅。詞人將來把杭州美景描繪下來，回到京城向同僚誇耀，這位郡守必定會受到賞識而榮陞。這既歌頌了郡守的政績，又表明了杭州之美的確值得讚美。

譚獻復堂詞話挑燈讀宋人詞至柳耆卿云狎興生疏酒徒蕭索不似去年時語不工甚可慨也

少年遊

長安古道馬遲遲，高柳亂蟬嘶。夕陽島外，秋風原上，目斷四天垂。　歸雲一去無蹤跡，何處是前期？狎興生疏，酒徒蕭索，不似去年時。

詞解　這是一首吟詠羈旅行役的小令。爲了博取功名，詞人四處宦遊，他騎著馬在長安古道上慢慢前進，羈旅困頓，滿心疲倦。高大的柳樹上，秋蟬胡亂嘶鳴，更是引發了他的淒涼情緒。夕陽漸漸落到遙遠的水中孤島外，平原上秋風吹過，極目遠望，天地相接。這蕭瑟蒼茫的秋日景象，突出了詞人失意而孤獨的心情。

在落魄的行旅之中，詞人自然會懷念昔日的愛人。可是就像天上雲彩流散，昔日愛人已經不知蹤跡，詞人與她的期約也已落空，不知何時纔能再度相會。如今，他失去了冶遊的興致，連飲酒也無法排遣他心中的蕭索，再也不像從前一樣。這日漸頹唐的心境甚至喪失了生活的希望，怎麼不讓詞人感到淒涼冷落呢？

王國維人間詞話若屯田之八聲甘州東坡之水調歌頭則佇興之作格高千古不能以常調論也

八聲甘州

對瀟瀟暮雨灑江天，一番洗清秋。漸霜風淒緊，關河冷落，殘照當樓。是處紅衰翠減，苒苒物華休。惟有長江水，無語東流。　不忍登高臨遠，望故鄉渺邈，歸思難收。歎年來蹤跡，何事苦淹留？想佳人、妝樓凝望，誤幾回、天際識歸舟？爭知我、倚闌干處，正恁凝愁？

詞解　瀟瀟暮雨遍灑江天，這一陣急雨，沖洗出一番清秋景色。寒風漸漸淒緊，關河寥落，夕陽斜照在詞人登臨的高樓上。他極目遠眺，衹望見處處花木凋零，時光荏苒，大自然的美好景物都漸漸消失了。衹有滔滔不斷的長江水，還同平常一樣默默地向東流去，更讓詞人平添年華易逝、今非昔比的淒涼之感。

每每登高臨遠，眼前所見的景象都讓詞人愁思萬千。他懷念遙遠的故鄉，心中的歸思難以排遣。回顧這些年四處漂泊的行跡，他問自己爲什麼要這樣長時間地停留在外呢？他既萌生了歸去之意，不由就想到遠方的心上人，他多麼希望她還在思念自己，還會登上妝樓翹首遠望，把天際的小船誤認爲是詞人的歸舟。然而詞人遠在異鄉，面對著蕭索冷落的秋景，追懷往昔，他的淒涼落寞除了空自歎息，又有誰知道呢？就算遠方的佳人正思念著他，又怎能知道他正獨倚欄杆凝眸遠望，也是同樣的滿懷離愁？

蝶戀花

佇倚危樓風細細，望極春愁，黯黯生天際。草色煙光殘照裏，無言誰會憑闌意。　擬把疏狂圖一醉，對酒當歌，強樂還無味。衣帶漸寬終不悔，爲伊消得人憔悴。

詞解　我久久地站在高樓上，感受著迎面而來的微風，望不盡的春日離愁，隨著西下的太陽迷濛不明地從遙遠無邊的天際昇起。碧綠的草色、迷濛的煙光，在落日餘暉裏縈繞，面對這一切，我默默無言，什麼人會理解我獨自憑欄的心思？

本想帶著放蕩不羈的心情喝得大醉，舉杯高歌，但是勉強作樂反而覺得索然無味。我日漸消瘦下去卻始終沒有絲毫悔意，寧願爲伊人消瘦得精神萎靡神色憔悴。

破陣樂

露花倒影，煙蕪蘸碧，靈沼波暖。金柳搖風樹樹，繫彩舫龍舟遙岸。千步虹橋，參差雁齒，直趨水殿。繞金堤，曼衍魚龍戲，簇嬌春羅綺，喧天絲管。霽色榮光，望中似睹，蓬萊清淺。　時見。鳳輦宸遊，鸞觴禊飲，臨翠水，開鎬宴。兩兩輕舠飛畫楫，競奪錦標霞爛。罄歡娛，歌《魚藻》，徘徊宛轉。別有盈盈遊女，各委明珠，爭收翠羽，相將歸遠。漸覺雲海沉沉，洞天日晚。

詞解　碧綠的池水倒映著微帶露珠的花朵，雲煙籠罩下的草葉映襯著碧綠的池水，廣闊的池水泛起微波，溫暖耀眼。彎曲的堤岸上，一棵棵吐出嫩芽的柳樹隨風輕舞，柳樹上繫著無數隻整裝待發的彩舫龍舟。排列整齊的龍舟出發了，它們穿過千步拱橋，直奔水上亭榭。彩舫龍舟環繞堤岸，表演起曼衍魚龍戲。衣著華麗的女子簇擁起舞，優美的音樂直上雲霄。晴朗的天空中呈現出吉祥的五色雲氣，遠遠望去，好像看到了東海上的蓬萊仙山。

皇帝乘坐鳳輦巡遊，他手持刻有精美的鸞鳥花紋的酒杯，和群臣們禊飲祭祀，面對這碧綠的池水，一年一度的農曆三月上巳日君臣同樂，祈求天下太平的御宴開席了。這時，賽龍舟也同時進行。那一隻隻輕舟上，選手們飛快地划動著有畫飾的船槳，爭先恐後地爭奪那五彩雲霞般的錦標。岸上的人們也盡情歡樂，他們唱著《詩經・小雅》中的「魚藻」篇，歌聲抑揚頓挫，優美動聽。那些盛裝打扮的女子，以明珠爲信物贈與情人，以情人送上的翠鳥羽毛爲裝飾，和他們相伴遠去。越來越覺得傍晚時分的池沼，雲海沉沉，更像是神仙居住之地了。

定風波

自春來、慘綠愁紅，芳心是事可可。日上花梢，鶯穿柳帶，猶壓香衾臥。暖酥消，膩雲嚲，終日厭厭倦梳裹。無那！恨薄情一去，音書無箇。

早知恁麼，悔當初、不把雕鞍鎖。向雞窗、祇與蠻箋象管，拘束教吟課。鎮相隨，莫拋躲。針綫閑拈伴伊坐。和我，免使年少、光陰虛過。

詞解　自入春以來，就算是見到那綠葉紅花也感覺它們是帶著愁苦，一顆心越顯得百無聊賴。太陽已經昇到了樹梢，黃鶯也開始在柳條間穿飛鳴叫，我還擁著錦被沒有起床。原本細嫩的肌膚已漸漸消瘦，滿頭的秀髮低垂散亂，我終日裏心灰意懶，不願對鏡梳妝。眞無奈，可恨那薄情郎自從離去後，竟連一封書信也沒有寄回來。

早知如此，悔當初沒有把他的心愛的馬關起來。眞該把他留在家中書房裏，祇讓他與筆墨爲伍，讓他吟詩作詞，寸步不離我的身邊。我也不必躲躲閃閃，祇管整日裏與他相伴，手拿著針綫與他相依相偎。有他廝守，免得我青春虛度，苦苦等待。

傾杯

鶩落霜洲，雁橫煙渚，分明畫出秋色。暮雨乍歇，小楫夜泊，宿葦村山驛。何人月下臨風處，起一聲羌笛。離愁萬緒，聞岸草、切切蛩吟如織。

爲憶芳容別後，水遙山遠，何計憑鱗翼。想繡閣深沉，爭知憔悴損，天涯行客。楚峽雲歸，高陽人散，寂寞狂蹤跡。望京國。空目斷、遠峰凝碧。

詞解　夕陽西下，一隻野鴨自天邊緩緩落下，落到被霜打過的汀洲上。一群大雁排成一字，飛過煙波籠罩的洲渚。這樣就構成了一幅秋景圖。晚上的雨剛剛停歇，小船夜泊，借宿在葦村山下驛站。月下臨風的地方，響起一聲羌笛。幽怨聲聲引出離愁別緒，又哪堪，所到岸上草中蛩吟切切似織機。自從別後，佳人的嬌容常常在眼前出現。想將書信送給佳人，無奈山高水又遠，想託付給魚雁也無可奈何。想佳人身居深閣繡樓裏，可知我四處遊役天涯苦，爲伊消得人憔悴。愛人朋友各分散，早已寂寞無蹤跡。看京城，不可見。碧綠遠峰斷目綫，空凝望。

鶴沖天

黃金榜上，偶失龍頭望。明代暫遺賢，如何向？未遂風雲便，爭不恣狂蕩？何須論得喪。才子詞人，自是白衣卿相。　煙花巷陌，依約丹青屏障。幸有意中人，堪尋訪。且恁偎紅翠，風流事，平生暢。青春都一餉。忍把浮名，換了淺斟低唱！

詞解　金榜上無我名，偶然喪失了當狀元的希望，一代賢主，在盛明的時代暫時遺棄賢良，該如何？既然沒有遇到好的機遇，倒不如，肆意地放縱，何必論得失。做才子詞人又何妨，也算得是百姓中的「卿相」。依舊去，煙花巷，隱約見處處丹青屏風。幸有意中人尚可尋訪，且去偎紅擁翠樂一場。平生暢快事，莫過風流。青春短暫要把握，狠下心來，把那功名利祿，換成飲酒作樂，盡情吟唱。

王安石

桂枝香

登臨送目，正故國晚秋，天氣初肅。千里澄江似練，翠峰如簇。歸帆去棹殘陽裏，背西風、酒旗斜矗。彩舟雲淡，星河鷺起，畫圖難足。　念往昔、繁華競逐。歎門外樓頭，悲恨相續。千古憑高，對此漫嗟榮辱。六朝舊事如流水，但寒煙、衰草凝綠。至今商女，時時猶唱，《後庭》遺曲。

詞解　詞人臨江登高，極目遠眺：正是故都金陵的深秋時節，天氣剛剛蕭肅。千里長江平靜澄澈，好像一條雪白的綢帶，蒼翠的山峰矗立在江畔，好似箭簇一般。江面上，來來往往遠去的船隻穿行在夕陽的餘暉裏。岸邊的酒樓前，酒旗在西風中飄揚。遠處，彩船像航行在淡雲薄霧裏；江上，白鷺像在銀沙上展翅飛翔。這美麗的景色，實在難以用圖畫描繪出來。面對著壯美空闊的大好河山，詞人不禁要追憶歷史，感慨世事的滄桑變化。

想當初，金陵作爲六朝古都，是人人競相攀逐的繁華勝地。然而可悲的是

楊湜古今詞話：金陵懷古，諸公寄詞於桂枝香，凡三十餘首，獨介甫最爲絕唱。

六朝卻因荒淫而相繼覆亡，當隋將韓擒虎率軍兵臨城下時，陳後主還與寵妃張麗華在結綺樓上尋歡作樂，這留給了後人無盡的悲歎和遺恨。古往今來，無數人登高懷古，也衹能對此空歎國家的興衰榮辱。六朝的往事如悠悠江水一去不返，衹有那郊外的寒煙和衰萎的野草還凝聚著一片蒼綠。時至今日，那些酒樓歌女還常常唱起哀怨靡麗的亡國之音《玉樹後庭花》。想到宋王朝正面臨著國勢日漸衰頹的危局，然而後人卻不知借鑒歷史的興亡，詞人怎麼能不爲了國家的前途而感到憂心忡忡呢？

千秋歲引

別館寒砧，孤城畫角，一派秋聲入寥廓。東歸燕從海上去，南來雁向沙頭落。楚臺風，庾樓月，宛如昨。　無奈被些名利縛，無奈被他情擔閣，可惜風流總閑卻。當初漫留華表語，而今誤我秦樓約。夢闌時，酒醒後，思量著。

詞解　寒夜裏的搗衣聲不時傳到客舍中，孤城上響起悲涼的畫角聲，肅殺的西風吹起，越發顯得四野一片寥廓。東歸的燕子向海上飛去，南來的大雁落在沙灘上。秋景蕭瑟，宿鳥往來，最容易引起漂泊遊子的思緒，詞人不禁

曾鞏語於書無所不通其明於是非得失之理尤爲詳其文閎富典重其詩博而深

陳廷焯白雨齋詞話北宋晏小山工於言情出元獻晏殊文忠歐陽修之右措辭婉妙一時獨步

想到從前風雅自在的生活。清涼爽快的楚臺清風，賞心悦目的庾樓明月，一幕幕都宛如昨日。

可惜，無奈被名利束縛、被世情耽擱，詞人總是拋卻了風流閑適的生活。當初本想辭官歸去，卻不料還是身入紅塵，辜負了與佳人的期約。在酒醒夢回的時候，詞人細細思量著。他爲國家鞠躬盡瘁，可是最終也沒能實現強國富民的抱負，內心的失意難以擺脱，他衹能這樣自嘲：衹爲了追逐功名，卻把自己一生的快樂都耽誤了。

王安國

清平樂

留春不住，費盡鶯兒語。滿地殘紅宮錦污，昨夜南園風雨。小憐初上琵琶，曉來思繞天涯。不肯畫堂朱戶，春風自在楊花。

詞解　暮春時分，黃鶯終日婉轉嬌啼，好像是費盡心思要將春天留住。其實黃鶯無知，眞正惜春留春的是詞人本人。經過一夜風雨，他看到花園裏滿地落花，好似美麗宮錦落入了泥污，一片狼藉，怎麼能不感到惋惜呢？

回想昨夜，花園裏舉行了一場歡樂的宴會，席上一名歌女初次登場彈奏琵琶曲，她技藝精湛，如同北齊時善於琵琶的馮小憐，自然會得到人們的欣賞。但她清晨起來，卻是心事重重：原來她不願侍奉富貴人家，而衹希望自己能像春風中的楊花一樣過著自由自在的生活。詞人藉歌女的心思，表達了自己不趨炎附勢、不貪慕富貴的高尚品格。

晏幾道

臨江仙

夢後樓臺高鎖，酒醒簾幕低垂。去年春恨卻來時。落花人獨立，微雨燕雙飛。記得小蘋初見，兩重心字羅衣。琵琶絃上說相思。當時明月在，曾照彩雲歸。

詞解　詞人從醉夢中醒來，看見四周的樓臺閉門深鎖，重重簾幕低垂到地。往日宴飲歡歌的場所已經人去樓空，衹留下他幽居一處，無比的孤獨淒涼。和去年的暮春時節一樣，他的心裏縈繞著深深的春恨。他獨自一人站在庭院中望著片片凋零的落花，正在備感惆悵的時候，偏偏又看見雙燕子在春風細雨中快樂地飛來飛去，他更爲自己的孤苦而傷感了。

詞人的惆悵全是因爲思念故人而起。還記得當年與小蘋第一次見面的情

黃庭堅小山集序晏叔原臨淄公之暮子也磊落權奇疏於顧忌文章翰墨自立規模

陳廷焯白雨齋詞話曲折深婉自有艷詞更不得不讓伊獨步

景，她穿著兩重心字樣式的羅衫，羞澀地抱著琵琶彈奏樂曲，聲聲琵琶傳遞著她心中脈脈的相思之情。當時，那皎潔的月光照著她飄然離去，就像一朵輕盈的彩雲。這位美麗可愛的少女深深地打動了詞人的心，讓他至今仍念念不忘。可是明月依舊而佳人不再，詞人空懷思念衹感到孤獨和惆悵，難怪他會藉醉夢來逃避現實的痛苦了。

蝶戀花

醉別西樓醒不記。春夢秋雲，聚散真容易。斜月半窗還少睡，畫屏閑展吳山翠。 衣上酒痕詩裏字。點點行行，總是淒涼意。紅燭自憐無好計，夜寒空替人垂淚。

詞解 這是一首懷舊詞。回想當年西樓上的那場歡宴，詞人喝得酩酊大醉離開之後，酒醒時卻把狂歡的情景都忘記了。人生美好的事物就像春夢秋雲一樣轉瞬即逝，聚散離合飄渺無常，實在令人傷感。月亮斜照在西窗上，詞人思緒紛擾，久久難以入睡。床前的畫屏悠閑地展現著江南的青山秀水。在這孤淒的夜裏追懷往昔，詞人備感哀傷。

留在衣衫上的酒痕和題在花箋上的詩，本是歡樂的象徵，然而如今在詞

人看來，一點點一行行卻都觸動了他淒涼的思緒。他的淒涼似乎也感染了案上的紅燭，可是紅燭雖然同情他的苦境，卻沒有辦法消除他的孤獨和寂寞，衹能在寂靜的寒夜裏替他灑下傷感的眼淚。

鷓鴣天

彩袖殷勤捧玉鍾，當年拚卻醉顔紅。舞低楊柳樓心月，歌盡桃花扇底風。 從別後，憶相逢，幾回魂夢與君同。今宵剩把銀釭照，猶恐相逢是夢中。

詞解 想當年歡宴之時，她身著彩衣捧來精美的酒杯，殷勤地勸酒。爲了報答她的盛情，詞人開懷痛飲，醉得滿面通紅。在宴會上大家通宵達旦盡情歡樂，她輕歌曼舞，直到高掛樹梢、照映高樓的月亮漸漸西沉，她纔放下桃花團扇，結束了美妙的歌唱。這盛大的酒筵，讓詞人難以忘懷。

自從離別以後，他還時時想起當年的情景，盼望能再度相逢，也不知有多少次在夢裏見到她。而今兩人真的見面了，詞人忍不住一次又一次舉起銀燈相照，仔細端詳她的面容，衹怕這相逢還是在夢裏呢。似夢非夢，情思婉轉，足見詞人真摯的感情。

周濟宋四家詞選晏氏父子仍步溫韋小晏精力尤勝

晁無咎語叔原不蹈襲人語風度閑雅自是一家

陳質齋語叔原詞在諸名勝中獨可追逼花間高處或過之

生查子

關山魂夢長，塞雁音書少。兩鬢可憐青，祇爲相思老。歸傍碧紗窗，說與人人道。真箇別離難，不似相逢好。

詞解　這首詞抒寫相思懷遠之情。詞人與愛人遠隔關山，遙遠的路途讓他們難以相見，甚至連書信往來也十分不便。詞人感到孤單寂寞，思念讓他日漸憔悴，可憐兩鬢的青絲就要爲相思變白了。

詞人懷歸情切，於是在夢中他回到舊日的處所，靠在碧紗窗上向愛人傾訴衷腸：「離別實在太難太苦，真不如相逢團聚好！」這是他親身感受的一句實話，也是向愛人表達思念的一句情話。此詞用簡約的文辭抒寫至癡真情，真實而親切，於平淡中見韻味。

木蘭花

東風又作無情計，艷粉嬌紅吹滿地。碧樓簾影不遮愁，還似去年今日意。　誰知錯管春殘事，到處登臨曾費淚。此時金盞直須深，看盡落花能幾醉。

詞解　這首詞抒寫了傷春惜花的悲情。又到了暮春時節，東風無情，將艷粉嬌紅的花朵吹落滿地，繁華的美景轉瞬消逝。詞人身處碧樓中，薄薄的珠簾遮不住視綫，他透過珠簾看見東風吹得落花紛紛飄零，不禁觸景傷情，又像去年一樣惹起了傷春愁緒。詞人一怨東風無情，二怨珠簾不解人意，實爲惜春人的癡語，藉惱怨傳達沉痛的悲愁。

惱怨東風無濟於事，詞人轉作自惱自怨：他不忍心落花任人踐踏，錯管起暮春殘花之事，四處登臨，耗費了許多眼淚。如此傷春無益，這時真應該痛飲求醉，在落花凋盡之前再陶醉幾番！詞人表面上自解愁怨，說傷春惜花費淚無益，不如痛飲美酒，恣賞落花，語極曠達，實際上卻極爲沉痛，較之惋惜更深一層，更顯沉痛悲愴之愁懷。

清平樂

留人不住，醉解蘭舟去。一棹碧濤春水路，過盡曉鶯啼處。　渡頭楊柳青青，枝枝葉葉離情。此後錦書休寄，畫樓雲雨無憑。

詞解　這是一首描寫詞人與戀人分手的小詞。儘管百般挽留，心上人還是在喝了最後一杯別酒之後，登上蘭舟遠去了。船槳蕩起碧波，一路黃鶯嬌啼，春光明媚。詞人望著她遠去的身影，這美好的春景更增添了他的傷心。

毛晉小山詞跋諸名勝詞集刪選相半獨小山集直逼花間字字娉娉裊裊如攬嬙施之袂恨不能起蓮鴻蘋雪按紅牙板唱和一過

王銍語賀方回遍讀唐人遺集取其意以爲詩詞然所得在善取唐人遺意也不如晏叔原盡見昇平氣象所得者人情物態叔原妙在得於婦人方回妙在得詞人遺意

渡頭的楊柳枝葉青青，一枝一葉都觸動著詞人的離愁別恨。他不禁產生了怨恨的心情：以後再也不給她寫情書傳遞心意了，雲雨之歡都是靠不住的，還是不要再自作多情了。可是話雖如此，他還是不能對心上人忘情，怨恨之中依然滿懷眷戀。

阮郎歸

舊香殘粉似當初，人情恨不如。一春猶有數行書，秋來書更疏。衾鳳冷，枕鴛孤，愁腸待酒舒。夢魂縱有也成虛，那堪和夢無。

詞解　詞人遇到了一位負心人，她對詞人的感情很快就變淡了，因此詞人不禁歎息人情淡薄：她舊日用的胭脂、香粉還像從前一樣保留著香味，而人的感情卻還不如胭脂、香粉那樣長久。春天的時候詞人還能收到她簡短的書信，而如今到了秋天，連這樣的書信也越來越少了。

可是儘管戀人無情，詞人卻並不能將她忘記。每晚蓋著冰冷的鳳衾，枕著孤單的鴛枕，詞人還是常常想念她，常常藉酒澆愁。他依然期待著能在夢中見到她，然而可悲的是，夢中相見本已是一場虛空，近來卻連這樣的夢也做不成了！哀而不傷，怨而不怒，一片癡情，盡在字裏行間。

御街行

街南綠樹春饒絮，雪滿遊春路。樹頭花艷雜嬌雲，樹底人家朱戶。北樓閑上，疏簾高捲，直見街南樹。　闌干倚盡猶慵去，幾度黃昏雨。晚春盤馬踏青苔，曾傍綠陰深駐。落花猶在，香屏空掩，人面知何處。

詞解　街南綠樹成行，飛絮像雪花一樣漫天飄舞，灑滿了遊春的路。樹枝上繁花盛開，花絮紅白相間宛如燦爛的嬌雲，樹底下掩映著一戶戶人家朱紅的門戶。詞人閑來無事登上北樓，捲起疏簾極目遠望，那街南綠樹的一片晚春景色正是他鳥瞰所見。

到了黃昏時分，下過了幾陣細雨，詞人倚著欄杆還不忍離去。他想起了往昔，也是同樣的晚春，他曾騎馬盤桓在那條鋪滿青苔的街道上，在綠樹陰下的那個人家裏停留。那裏是詞人昔遊之地，並且必有難以忘卻的情事，因此他纔會對景惆悵。落花還同從前一樣，但香屏空掩，昔日的佳人卻不知去了哪裏。原來詞人已經訪過不曾出現的伊人了，她那裏斷無消息，因此他纔於北樓閑望，久久不願離去。全詞以含蓄有致的筆觸，從眼前景物詠起，漸漸勾起回憶，抒寫了故地重遊中的戀舊情懷。

滿庭芳

南苑吹花，西樓題葉，故園歡事重重。憑闌秋思，閑記舊相逢。幾處歌雲夢雨，可憐便、流水西東。別來久，淺情未有，錦字繫征鴻。

年光還少味，開殘檻菊，落盡溪桐。漫留得，尊前淡月西風。此恨誰堪共說，清愁付、綠酒杯中。佳期在，歸時待把，香袖看啼紅。

詞解　這是一首念舊懷人之詞。重陽節時在南苑中玩起吹花的遊戲，暮春時節在西樓裏遊宴詠春題葉，回想往日相聚之時，真是歡樂重重。如今佳人流散，詞人閑來憑欄遠望，秋天的景色觸動了他的思緒，他想把滿心的思念都寄給她。想當年，他們常常歡會，共度快樂的時光，可是不久就分別了，像流水一樣各奔西東。離別了那麼久，她連書信也沒有，詞人想到也許是她對自己感情淺薄，可是他依然懷念佳人，癡心不改。

自從她離開以後，詞人覺得生活喪失了許多情趣，何況又到了菊花凋謝、桐實落盡的秋天，他更感到孤凄了。面對著淡月西風的清秋景象，詞人獨自把酒，沒有人陪在他身邊，他滿心的悵恨能向誰傾訴呢？他衹有借酒澆愁。如果將來相見有日，等她回來時，詞人一定會讓她看看自己衣袖上的眼淚，向她表達無盡的相思和離愁。

王詵

蝶戀花

小雨初晴回晚照。金翠樓臺，倒影芙蓉沼。楊柳垂垂風裊裊，嫩荷無數青鈿小。

似此園林無限好。流落歸來，到了心情少。坐到黃昏人悄悄，更應添得朱顏老。

詞解　詞人久遭遷謫始得召還，回到京城故居，恰逢小雨初晴，夕陽返照在園林之間。金碧輝煌的樓臺沐浴著斜陽晚照，倒映在遍植荷花的池塘水波之上。池塘上一片春色，楊柳垂下的枝條在微風中裊裊拂動，初生的嫩荷宛如無數小小的青鈿。

這樣富麗堂皇、春意盎然的園林是多麼美好，可是詞人遭受重譴，流落歸來，他面對舊時園林衹會生起物是人非的無限悲痛，又哪有心情欣賞這美景呢？他久久地坐在昔日的園林中，回想過去風雅快活的美好生活，而現在他年歲已老，妻子也早已病故，衹留下他孤身一人，今昔對比，如今是多麼淒涼的境況。景物依舊而人事已非，在詞人滿懷悲痛的沉思中，黃昏已不知不覺地來臨了。蒼茫的暮色仿佛暗示著詞人淒涼的人生晚景，深切的悲哀祇怕又會給他添上幾縷白髮，讓他更加蒼老了。

蘇軾

水龍吟・次韻章質夫楊花詞

似花還似非花，也無人惜從教墜。拋家傍路，思量卻是，無情有思。縈損柔腸，睏酣嬌眼，欲開還閉。夢隨風萬里，尋郎去處，又還被、鶯呼起。

不恨此花飛盡，恨西園、落紅難綴。曉來雨過，遺蹤何在？一池萍碎。春色三分，二分塵土，一分流水。細看來，不是楊花，點點是離人淚。

詞解 柳絮飛揚，乍看起來如同紛飛的花兒一樣，但是仔細一看，卻又不是花朵，因此並沒有什麼人憐惜飄落的柳絮，祇是任由它們散落滿地。柳絮離開柳樹枝頭，離開自己生長的「根」，是多麼無情啊！然而，那飄起的柳絮又彷彿有千般不捨，依傍著道路低低飛舞，不忍心離去。那飄忽不定的柳絮，如同飄蕩在詞人的心頭，讓詞人的柔腸百轉千迴，思緒萬千。柳絮像極了一個睏倦了的美嬌娘，想要等待心上人歸來卻又忍不住合上雙眼。睡夢中，自己纔能換來自由身，可以隨著清風飄揚萬里，飄到心上人所在的地方，正欲向心上人述說相思之苦的時候，不料被窗外的黃鶯喚醒，怎能不讓思婦心生惱恨？

她惱恨的並不是眼前這飄飛的柳絮，祇恨那花園中的遍地落英，無法拾掇，正如思婦自己，如花美眷，也抵不過逝水流年，自己的容貌在等待的煎熬中，日復一日地衰老了。看著滿地的落花，思婦心中有無限憐惜。清晨的一陣急雨過後，楊花已不見了蹤影。它們在哪裏呢？已化爲一池的浮萍，花殘身碎。但是，落紅並非無情物，一部分化作春泥，一部分隨逐流水，細細想來，這哪裏是飄零的柳絮，分明是分別之人的相思眼淚。

水調歌頭

丙辰中秋，歡飲達旦，大醉，作此篇，兼懷子由。

明月幾時有，把酒問青天。不知天上宮闕，今夕是何年。我欲乘風歸去，又恐瓊樓玉宇，高處不勝寒。起舞弄清影，何似在人間！

轉朱閣，低綺戶，照無眠。不應有恨，何事長向別時圓？人有悲歡離合，

月有陰晴圓缺，此事古難全。但願人長久，千里共嬋娟。

詞解　中秋節的夜晚，詞人舉起酒杯，仰天長問：明月什麼時候纔有呢？

浩瀚蒼穹中，天上仙人們的宮殿，今夕又是何年呢？他想要乘風歸去，卻又怕天上的瓊樓玉宇，高高在上，不勝淒清與寒冷。在明月的映照下婆娑起舞，與清影爲伴，天上寂寞的生活又怎麼能比得上人間呢？詞人營造這一飄逸出世的神話氛圍來表達自己遺世獨立的意緒，暗含著對現實的些微懷疑與不滿。然而出世不易，詞人還是要安居人間，因此他開始思念親人，尤其是思念遠方的弟弟蘇轍。

這時皓月當空，皎潔的月光繞過樓閣灑進窗戶中，照見長夜難眠、滿懷離愁的人。詞人不由埋怨月亮，它不應與人們有仇恨，爲什麼總是在人們分離的時候變圓呢？在這毫無道理的詰問之後，詞人認識到，人生自有悲歡離合的際遇，月亮也自有陰晴圓缺的變化，世事無常，永遠也不能十全十美。於是他把心中的悵恨化作美好的祝願：希望人人平安情誼長久，即使遠隔千里，還可以共同欣賞美麗的月光。詞人由中秋明月出發，感慨地域流轉，俯仰古今變化，闡釋出他睿智而豁達的人生理念。

念奴嬌·赤壁懷古

大江東去，浪淘盡、千古風流人物。故壘西邊，人道是、三國周郎赤壁。亂石穿空，驚濤拍岸，捲起千堆雪。江山如畫，一時多少豪傑！

遙想公瑾當年，小喬初嫁了，雄姿英發。羽扇綸巾，談笑間、檣櫓灰飛煙滅。故國神遊，多情應笑我，早生華髮。人生如夢，一樽還酹江月。

詞解　滔滔江水滾滾東流，洶湧的浪花淘盡了古往今來的無數風流人物。古時的營壘西邊，人們說那裏就是三國時周瑜指揮赤壁之戰的地方。陡峭的山崖直插雲霄，驚濤駭浪拍打著江岸，捲起千萬堆澎湃的雪浪。錦繡江山壯美如畫，也不知曾經一時湧現過多少英雄豪傑！看著這雄奇壯麗的景色，詞人不由產生了懷古之情。

遙想起三國時，年輕的周瑜剛娶了美貌的小喬，正是雄姿英發的大好年華：他頭戴綸巾、手持羽扇，是何等瀟灑倜儻；他談笑之間就讓敵人的大小戰艦灰飛煙滅，又是何等從容自如。詞人多麼希望如今也有周瑜這樣的風流人物，能夠力挽狂瀾，扭轉宋朝日漸衰微的狀況啊！可是具有這樣雄鄭文焯手批：東坡樂府燕子樓空三句語泰淮海，殆以示詠古之超宕，貴神情不貴跡象也。

才偉略的英雄已經一去不復返了，詞人神遊故地，祇能笑自己太過多情，竟然早早生出了白髮。他念及自己的坎坷遭遇，覺得人生好像一場春夢，於是舉起一杯酒灑在地上來祭奠亘古不變的江水和明月，以此來表達自己心中的慨歎。

永遇樂

彭城夜宿燕子樓，夢盼盼，因作此詞。

明月如霜，好風如水，清景無限。曲港跳魚，圓荷瀉露，寂寞無人見。紞如三鼓，鏗然一葉，黯黯夢雲驚斷。夜茫茫、重尋無處，覺來小園行遍。 天涯倦客，山中歸路，望斷故園心眼。燕子樓空，佳人何在？空鎖樓中燕。古今如夢，何曾夢覺，但有舊歡新怨。異時對、黃樓夜景，爲余浩歎。

詞解 詞人夜宿燕子樓，看到燕子樓小園無限清幽的夜景：明亮的月光皎潔如霜，舒爽的秋風清涼如水，曲港裏魚兒跳出水面，晶瑩的露水在圓荷上滾動。夜深人靜，萬籟俱寂，這美麗的夜景沒有人看見，爲什麼唯獨詞人會在小園裏徘徊呢？原來深夜沉靜，衹遠遠傳來三更的鼓聲，靜得連落葉的聲音也清晰可聞，竟好像是金石鏗然之聲，將詞人從睡夢中驚醒。夜色茫茫，夢中的景象無處追尋，詞人悵然若失，因此起身行遍小園，來排遣心中的悵惘之情。

詞人登上燕子樓遙望遠方，不禁產生了身世之悲。多年來貶官他鄉，詞人已對仕途感到疲倦，他想回到家鄉歸隱田園，可是欲歸無期，怎能不牽動他去國懷鄉的茫茫愁思啊！然而他滿腔的愁情又能向何人訴說呢？燕子樓已經人去樓空，當年居住其中的佳人已不復存在，祇有雙雙燕子在樓檐上安家落戶。古今人世變遷，讓詞人心生感慨：世事如夢，今人的歡樂哀愁還與古人一樣，人們生活其中何曾夢醒？他忽然想到，將來後人見到黃樓夜景時，大概也會爲他浩歎，就像他今日見燕子樓而憑弔盼盼一樣。詞人悟得人生如夢，便變得超曠放達、寵辱不驚，擺脫了個人的失意與愁緒，獲得了心靈的解脫。

定風波

三月七日沙湖道中遇雨，雨具先去，同行皆狼狽，余獨不覺。已而遂晴，故作此詞。

俞成螢雪叢說騷人於漁父則曰一蓑煙雨於農夫則曰一犂春雨於舟子則曰一篙春水皆曲盡形容之妙

莫聽穿林打葉聲，何妨吟嘯且徐行。竹杖芒鞋輕勝馬，誰怕？一蓑煙雨任平生。 料峭春風吹酒醒，微冷。山頭斜照卻相迎。回首向來蕭瑟處，歸去，也無風雨也無晴。

詞解 不要理會那穿過樹林打在樹葉上的瀟瀟雨聲，何不低吟長嘯，緩步徐行？懷著這種坦蕩豁達的心態，即便是手拿竹杖，腳穿草鞋，也會覺得比騎馬行進更加輕鬆自在。在他的一生之中，詞人經歷過無數風波挫折都能夠處之泰然，又怎麼會害怕這小小的風雨？他雖衹有一件蓑衣，任憑一生風雨都不在意。

料峭的春風將詞人從微醉的酒意中吹醒，他稍微感到有些寒冷，然而山頭的落日卻迎面投來溫暖的餘暉。回頭看看剛纔風雨蕭瑟的淒冷之地，風雨晴天都成過往，他淡然歸去，並不放在心上。人生，不也正是如此？

青玉案·送伯固歸吳中

三年枕上吳中路，遣黃犬、隨君去。若到松江呼小渡，莫驚鷗鷺，四橋盡是，老子經行處。 《輞川圖》上看春暮，常記高人右丞句。作個歸期天已許，春衫猶是，小蠻針綫，曾濕西湖雨。

詞解 蘇堅跟隨詞人在杭州三年了，如今他就要回吳中去，詞人真想遣黃犬與他同去，這樣就能常常得知他的音訊，由此可見詞人與蘇堅深厚的情誼。詞人囑咐蘇堅：「你若到了松江招呼小渡，可不要驚擾那裏的鷗鳥與白鷺，蘇州的四座橋都曾是我遊歷過的地方。」言語中透露出詞人對吳中景物的喜愛，以及羨慕蘇堅能夠回到舊遊之地日日徜徉的心情。

吳中風光之美，可以從王維《輞川圖》所畫的暮春景色中看出來，詞人也一直記得王維那些高妙的詩句。詞人覺得上天一定會准許自己歸去，自己的春衫還是從前侍妾縫製的，衣衫還曾經被西湖的細雨淋濕過。而實際上，詞人卻是身陷塵世，欲歸不能，衹能空自羨慕友人。

江城子·密州出獵

老夫聊發少年狂，左牽黃，右擎蒼，錦帽貂裘，千騎捲平岡。爲報傾城隨太守，親射虎，看孫郎。 酒酣胸膽尚開張，鬢微霜，又何妨。持節雲中，何日遣馮唐？會挽雕弓如滿月，西北望，射天狼。

詞解 我儘管已經年老，卻仍有少年時代打獵的熱情，那年少時的熱血輕狂，再次在詞人身上出現，他左手牽著獵狗，右臂擎著蒼鷹，身穿騎兵服裝，

帶領著上千騎的兵士似乎能將這山岡蕩平。爲了回報全城人跟隨詞人一起打獵的盛意，詞人要像孫權那樣，親自射下一隻猛虎來慰勞大家。

與衆人飲酒，詞人喝得十分盡興，這個時候，詞人信心滿滿，充滿雄心壯志，就算是兩鬢已經有了些許的銀絲，卻一點都不影響詞人的雄心。詞人殷切盼望，有朝一日皇帝會像漢文帝派遣馮唐一樣，差人帶著符節來重新重用自己。想到這裏，詞人想象自己面對著西夏敵軍，用盡渾身力氣，將弓箭拉滿，對準西北射去。

江城子

乙卯正月二十日夜記夢

十年生死兩茫茫，不思量，自難忘。千里孤墳，無處話淒涼。縱使相逢應不識，塵滿面，鬢如霜。

夜來幽夢忽還鄉，小軒窗，正梳妝。相顧無言，惟有淚千行。料得年年斷腸處，明月夜，短松岡。

詞解　自從愛妻撒手人寰，兩人生死相隔，轉眼間已經十年了。過去的美好生活實在難以忘懷，即使不用刻意地思念和回憶，妻子的音容笑貌也會浮現在詞人眼前。可是她卻葬在千里之外的家鄉，連在她的墳墓前述說自

陳廷焯雲韶集：情節相生，筆致婉曲。東坡筆墨，自有東坡心事。

胡仔苕溪漁隱叢話東坡此詞冠絕古今託意高遠寧爲一娼而發耶

己的淒涼心情也無法實現。更何況，十年裏人世滄桑，詞人滿面塵土、兩鬢斑白，縱然妻子起死回生，見到他現在的模樣恐怕也不認識了。

因爲常常懷念亡妻，詞人在夢中回到了家鄉，回到了她的身邊：那熟悉的小軒窗前，她還與當年一樣正在梳妝打扮。夫妻二人相見時，千言萬語無從説起，衹流下了千行的淚水。這淚水中含著多少眷戀不捨，夢醒之後衹留給詞人無盡的沉痛與哀傷。倘若妻子泉下有知，料想她也會在那明月映照、松樹林立的墳岡之上，年年爲了思念親人而柔腸寸斷吧。詞人的癡想正表達著他對亡妻樸素眞摯的感情，詞中那深切的悲痛眞是感人至深。

賀新郎

乳燕飛華屋。悄無人、桐蔭轉午，晚涼新浴。手弄生綃白團扇，扇手一時似玉。漸睏倚、孤眠清熟。簾外誰來推繡戶？枉教人、夢斷瑶臺曲。又卻是，風敲竹。　石榴半吐紅巾蹙。待浮花浪蕊都盡，伴君幽獨。穠艷一枝細看取，芳心千重似束。又恐被、秋風驚綠。若待得君來向此，花前對酒不忍觸。共粉淚，兩簌簌。

詞解　乳燕飛進了高大華麗的屋宇，庭院裏悄無一人，梧桐樹陰轉動，時間悄然過了正午。在這幽靜的環境裏，住著一位幽獨寂寞的美人，傍晚清涼時她剛剛出浴，手裏把玩著一把生綃白團扇，她的纖纖玉手與潔白的團扇都像白玉一樣精緻而溫潤。漸漸地睏乏襲來，她獨自小憩。朦朧中彷彿有人在珠簾外推開窗戶，將她從瑶臺美夢中驚醒。她多麼希望是自己日日牽掛的夢中人來到了她的身邊啊！可是定睛一看，窗外哪有什麼人呢，不過是清風吹過竹林的聲音罷了。她孤獨地住在這幽寂的庭院，愛人遠在他方，衹能在夢中相見，她的心裏不由得充滿了無可奈何的寂寞之感。

夏日裏是石榴花開的季節，半開的石榴花宛若摺皺的紅巾，它開在春花落盡的夏季，好像是有意來陪伴幽獨的美人。她摘下一枝紅艷穠麗的石榴花仔細欣賞，層層花瓣緊緊收束在一起，就像是她那忠貞不渝的芳心一樣。可是韶華易逝，花事難久，石榴花如此美麗，卻衹怕秋風來時吹落綠葉紅花。她由花及人，想到了紅顔易老，自己的青春年華就在寂寞的等待中過去了，那瑶臺夢中人什麼時候纔會來呢？等到他來的時候，衹怕石榴花已經凋謝，那時再也看不到這穠艷的景色，花前對酒衹能徒自傷懷，任淚珠與花瓣一同簌簌落下。

趙翼甌北詩話以文爲詩自昌黎始至東坡益大放厥詞別開生面成一代之大觀

臨江仙・夜歸臨皋

夜飲東坡醒復醉，歸來仿佛三更。家童鼻息已雷鳴，敲門都不應，倚杖聽江聲。　長恨此身非我有，何時忘卻營營？夜闌風靜縠紋平，小舟從此逝，江海寄餘生。

詞解　詞人晚上與幾位朋友在東坡一起喝酒，醉了又醒，醒了又醉，回到家的時候都已經三更天了。家裏僮僕已經睡得很熟，鼾聲大作如雷鳴一般，怎麼敲門都沒有人應，於是他衹好站在門外，倚著枴杖傾聽江水流動的聲音。

夜深人靜，面對著衹有細微波紋的江面，詞人忽然覺得，自己被環境束縛，身不由己，不得自由，而且塵世間的蠅營狗苟，爲功名利祿而四處奔波的生活不是自己想要的。他衹想駕著小舟離開尘世，在江海上度過他的餘生。

西江月

頃在黃州，春夜蘄水中過酒家飲。酒醉，乘月至一溪橋上，解鞍曲肱少休。及覺，已曉，亂山蔥蘢，不謂塵世也。書此詞橋柱。

照野瀰瀰淺浪，橫空曖曖層霄。障泥未解玉驄驕，我欲醉眠芳草。可惜一溪風月，莫教踏碎瓊瑤。解鞍欹枕綠楊橋，杜宇一聲春曉。

詞解　春天的夜晚，一縷月光灑在遼闊的大地上，灑在蘄水之中，水面上波光點點，時而微風拂過，掀起淺淺的浪花。天空浩渺昏暗，佈滿層層雲朵。詞人因爲不勝酒力，躍身下馬，竟然來不及卸下馬鞍，一心想在這芳草萋萋的野地裏酣然入夢。這月光下的水色，是多麼的美麗可愛！

水是如此清澈，月是如此明朗，夜是如此靜謐，如此良辰美景，一定不要讓馬蹄聲擾亂纔好。詞人終於將馬鞍解下，在綠楊橋邊倚靠著馬鞍，想要休息片刻，卻沒想到聽見杜鵑聲聲啼叫，原來一覺醒來，已是黎明時分。

望江南

春未老，風細柳斜斜。試上超然臺上看，半壕春水一城花。煙雨暗千家。　寒食後，酒醒卻咨嗟。休對故人思故國，且將新火試新茶。詩酒趁年華。

詞解　春天還沒有走遠，你且看，那微風正吹拂著岸邊細細的柳枝。如果你不相信，可以登上密州城的超然臺去看一看，這半池護城河水圍繞的密州城，處處花開正濃。春花燦爛，春光無限，如煙的春雨在空中飄散，籠罩滋潤著千家萬戶。

黃庭堅跋東坡樂府語意高妙似非吃煙火食人語非胸中有萬卷書筆下無一點塵俗氣孰能至此

寒食節過後，詞人酒醉後醒來，感慨那春天即將離開了。不要對那些老朋友述說自己思念故土的事情，因爲這些衹會給他們徒添煩惱。無需多言，衹需要再生新火，一起來細細品嘗新鮮的明前茶，一起趁著年輕，趁著春日尚未離開，抓住大好時光，把酒言歡，對酒當歌。

卜算子

黃州定惠院寓居作

缺月掛疏桐，漏斷人初靜。誰見幽人獨往來，縹緲孤鴻影。　驚起卻回頭，有恨無人省。揀盡寒枝不肯棲，寂寞沙洲冷。

詞解　一彎新月高高地掛在枝條稀疏的梧桐樹上，滴漏的聲音斷了，原來，夜已經很深了。原本熙攘的街道，如今也逐漸安靜下來。這種夜深人靜的時候，總是能看見有些幽居的人獨往獨來。其實，幽居者並不是一個人在行走，與他同樣在夜間出行的，還有孤獨的大雁，它在黑夜的長空中一閃而過，衹留下一點影子。

即將飛走的大雁彷彿受到了驚嚇，猛然回首觀望，它內心的痛楚又有誰能瞭解呢？大雁孤獨地在夜空中徘徊，一夜又一夜，一年又一年，它挑揀了很多寒冷的樹枝，卻始終不肯停下來休息，寧願自己淒冷孤獨地躲到那淒冷的沙洲裏獨享寂寞。

蝶戀花

花褪殘紅青杏小。燕子飛時，綠水人家繞。枝上柳綿吹又少，天涯何處無芳草。　牆裏鞦韆牆外道。牆外行人，牆裏佳人笑。笑漸不聞聲漸悄，多情卻被無情惱。

詞解　春天即將離開，花兒已經褪去了往日鮮艷的顏色，開始凋零，杏樹上長出了青色的果實。天空中時常有幾隻燕子飛過，地上一條清澈的溪水，圍繞著村落人家緩緩流淌。柳樹枝上的柳絮經過春天風兒的吹拂，已經少之又少，但是，不需要爲這些感傷，因爲春天走了，終究會再來，而天地廣闊，到處都會長滿茂盛的青草。

一個大戶人家的圍牆裏，有一位妙齡少女正在蕩鞦韆，牆外道路上行走的路人，時常可以聽見牆裏少女的歡笑聲。但是，這種歡笑聲逐漸消失不見了，牆外的行人悵然若失。牆外行人彷彿被佳人的無情所傷害，但其實，牆裏佳人又怎會瞭解牆外路人的多情和煩惱呢？

黃庭堅

鷓鴣天

坐中有眉山隱客史應之和前韻，即席答之。

黃菊枝頭生曉寒，人生莫放酒杯乾。風前橫笛斜吹雨，醉裏簪花倒著冠。 身健在，且加餐。舞裙歌板盡清歡。黃花白髮相牽挽，付與時人冷眼看。

黃蓼園蓼園詞選曰：斜吹雨倒著冠，則有傲兀不平氣在，末二句尤有牢騷，然自清迴獨出，骨力不凡。

詞解 深秋的清晨，黃菊枝頭顯露出了陣陣寒意，詞人從花事將謝聯想到人生短促，不由產生了今朝有酒今朝醉、莫讓人生酒杯乾的想法。他盡情歡宴，冒著斜風細雨吹笛取樂，酒醉裏倒戴帽子、摘下菊花簪在頭上。

人生苦短，詞人決定要趁著身體健康而及時行樂，在佳人歌舞陪伴下盡情歡樂。詞人已不再年輕，但他不拘世俗的目光，衹管在白髮上簪花自娛，任憑世人對自己冷眼相加。

定風波

次高左藏使君韻

萬里黔中一漏天，屋居終日似乘船。及至重陽天也霽，催醉，鬼門關外蜀江前。 莫笑老翁猶氣岸，君看，幾人黃菊上華顛？戲馬臺南追兩謝，馳射，風流猶拍古人肩。

王灼碧鷄漫誌：晁無咎、黃魯直皆學東坡，韻制得七八。黃晚年閑放於狹邪，故有少疎蕩處。

詞解 廣袤的黔中多雨，時常下雨不止，好像是天漏了一樣。雨多水漲，住在屋裏就像是在乘船。到了重陽節，這陰霾的天氣終於放晴了，詞人與友人外出秋遊，在鬼門關外的蜀江前飲宴歡聚。

詞人雖然已不再年輕，可是依然氣概傲岸。他雖然已早生白髮，可還是將菊花戴在頭上，這種不拘世俗、從容自若的心態，有幾人能夠做到？在今日的宴會上，詞人足以與戲馬臺大會上的東晉詞人謝瞻及謝靈運媲美，他縱馬奔馳、彎弓射箭，這風流豪邁的氣度可以直追古人。

秦觀

望海潮

梅英疏淡，冰澌溶泄，東風暗換年華。金谷俊遊，銅駝巷陌，新晴細履平沙。長記誤隨車。正絮翻蝶舞，芳思交加。柳下桃蹊，亂分春色到人家。 西園夜飲鳴笳，有華燈礙月，飛蓋妨花。蘭苑未空，行人漸老，重來是事堪嗟。煙暝酒旗斜。但倚樓極目，時見棲鴉。無奈

陳廷焯白雨齋詞話：少遊詞最深厚，最沉著，如「柳下桃蹊，亂分春色到人家」，思路幽絕，其妙令人不能思議。

歸心，暗隨流水到天涯。

詞解　梅花漸漸稀疏，水面上的冰已經融化，在和煦的東風吹拂之下，春天悄悄地來了。眼前的自然景物暗換年華，詞人也面臨著人世滄桑、政局變化。回想當年，適值新晴，詞人恣意遊賞名都佳園，漫步在繁華的街道，那是多麼快樂。還有青年時的狂放行爲，詞人也長遠地保持著美好的記憶。春意正濃，柳絮處處飄飛，蝴蝶翩翩起舞，柳樹下兩邊種著桃花的小路蜿蜒到人家門口，正値萬紫千紅。詞人在這美好的環境中，心中也充滿了青春的歡樂。

白天在外遊玩之後，晚上詞人又到西園中飲酒歡會，聽胡笳取樂。西園裏各種花燈都點亮了，使得明月也失去了光輝。許多車子在園中飛馳，也不管車蓋擦損了路旁的花枝。那燈燭輝煌、車水馬龍的盛大場面至今仍歷歷在目。如今西園仍在，但詞人已日漸衰老，故地重遊，美好的過去愈襯出現在的淒涼寂寞，往事讓他哀歎不已。他獨自倚樓極目遠望，衹見昏暗的暮煙中一簾酒旗斜挑，這冷落的景象正與當日西園盛況形成了鮮明的對照：既無飛蓋而來的俊侶，也無鳴笳夜飲的豪情，蒼茫暮色中，衹能時時看見晚鴉歸巢而已。這時，想到宦海風波將使自己不得不離開汴京，思歸之情頓時湧上他的心頭，並且將隨著流水伴他到天涯。

減字木蘭花

天涯舊恨，獨自淒涼人不問。欲見回腸，斷盡金爐小篆香。　黛蛾長斂，任是春風吹不展。困倚危樓，過盡飛鴻字字愁。

詞解　這首詞用思婦自訴的口吻，抒寫了閨中人念遠懷人的憂鬱愁情。思婦與愛人遠隔天涯分離已久，她滿懷離愁別恨，然而卻沒有一個可以傾訴的人，衹能獨自忍受淒涼。她看著金爐上篆文形狀的盤香，不由想到：自己的愁腸衹怕就像這盤香一樣環曲纏繞。這一奇特的比喻，表現出她的思愁之深。

她深蹙蛾眉，即便是和煦的春風也吹不展她的愁眉，無論春光多麼美好，遠人不歸來，她始終難解離愁。她日日獨倚高樓，極目眺望衹見大雁飛過，卻不見行人歸來，甚至連封書信也沒有見到，自然更是愁不可抑了。

俞陛雲唐五代兩宋詞選釋　回腸二句及黛蛾二句尋常之意以曲折之筆寫出便生新致結句含蘊有情

黃蓼園蓼園詞選　語意淒切亦自蘊藉玩味不盡

踏莎行

霧失樓臺，月迷津渡，桃源望斷無尋處。可堪孤館閉春寒，杜鵑聲裏斜陽暮。　驛寄梅花，魚傳尺素，砌成此恨無重數。郴江幸自繞

郴山，爲誰流下瀟湘去？

詞解　瀰漫的大霧隱去了樓臺，月色朦朧中，渡口迷茫難辨，在這淒楚迷茫的環境中，詞人站在旅舍極目眺望，可是他一直望到天邊也找不到世外桃源般理想的去處，他的心情失望而痛苦。桃源無覓，又遠離家鄉，獨自謫居在淒清孤寂的驛館裏，本自容易滋生思鄉之情，讓人不堪忍受，更何況日落時分杜鵑又一聲聲淒厲地啼鳴起來，就更加勾起了詞人的愁思，觸動了他一腔身世淒涼之感。

遠方的親友殷勤致意，寄來書信關懷失意的詞人，但每一封安慰的書信都觸動了詞人對往昔生活的追憶和對如今困苦處境的痛省，因此非但沒能安慰他孤寂悲傷的心靈，反而增添了他心中的綿綿愁恨。郴江本來是圍繞著郴山流淌的，爲什麼卻要老遠流到瀟水、湘江去呢？詞人借此來慨歎自己身世：自己好好一個讀書人，本可以隱居鄉野，自得其樂，卻爲什麼偏偏要躋身仕途呢？他對於自己被捲入政治鬥爭的漩渦中，遠謫異鄉感到深深的悔恨。

浣溪沙

漠漠輕寒上小樓，曉陰無賴似窮秋。淡煙流水畫屏幽。自在飛花輕似夢，無邊絲雨細如愁。寶簾閒掛小銀鉤。

詞解　這首詞描寫了一幅晚春拂曉的清寒景象。清晨時分，無邊無際的輕寒襲來，瀰漫在安靜的小樓中，陰沉沉竟像深秋一樣。畫屏上淡淡的煙霧繚繞，流水蜿蜒，顯得清幽而迷離。這淒清的景致，正表現了閨中人孤獨寂寞的心情。

百無聊賴之時，她捲起珠簾掛上精巧的銀鉤，此時她望見了室外的風景：飛花悠然自得地隨風飄飛，好像春夢一樣倏忽縹緲；無邊無際的如絲細雨，如同難遣的春愁一樣纏綿悠長。這首詞雖然未從正面寫人，但通過對景物的描寫和對氣氛的渲染，表現出了閨中人百無聊賴的寂寞和淡淡的哀愁，情景交融。

鵲橋仙

纖雲弄巧，飛星傳恨，銀漢迢迢暗度。金風玉露一相逢，便勝卻、人間無數。　柔情似水，佳期如夢，忍顧鵲橋歸路。兩情若是久長時，

黃蓼園蓼園詞選少遊此詞謂兩情若是久長不在朝朝暮暮所謂化臭腐爲神奇

又豈在、朝朝暮暮。

詞解　這首詞詠牛郎織女之事。天上纖薄的雲彩不時變幻，似乎在展示織女的靈巧；流星穿過浩瀚的星空，好像在傳達織女和牛郎的離恨。經過一年的離別，終於等到了七夕相見之日，織女悄無聲息地渡過遙遠寬闊的銀河，與牛郎相見。在這秋風送爽、白露如玉的夜晚，僅僅一次的甜蜜相會，便勝過人間無數的幽會。

詞人想象織女與牛郎的相會，他們的脈脈深情就像水一樣溫柔，相會的佳期美妙如夢。但美好而難得的相會是短暫的，此時此刻，他們怎麼忍心回頭去看鵲橋歸路呢？其實，兩人的感情如果能天長地久，又何必一定要朝朝暮暮廝守在一起呢？詞人否定了人間庸俗的男歡女愛，表達了自己對忠貞愛情的歌頌。

水龍吟

小樓連遠橫空，下窺繡轂雕鞍驟。朱簾半捲，單衣初試，清明時候。破暖輕風，弄晴微雨，欲無還有。賣花聲過盡，斜陽院落，紅成陣、飛鴛甃。　玉佩丁東別後。悵佳期、參差難又。名韁利鎖，天還知道，和天也瘦。花下重門，柳邊深巷，不堪回首。念多情但有，當時皓月，向人依舊。

詞解　清明時節，微風細雨，佳人身著薄薄的春衫獨上小樓，纖纖素手捲起簾幕向外望去，衹見她的心上人跨上雕鞍，策馬遠去。夕陽西下，離情萬種，那清脆的賣花聲從窗外傳來，由遠及近再慢慢消失不可聞，剩下的唯有陣陣落花，緩緩落向井邊。

那告別時叮咚作響的玉佩聲依然在耳際徘徊，那天的一切都歷歷在目。凡夫俗子無論如何也掙脫不了名利的枷鎖，天若懂得，也該如我般憔悴。遭遇的越是冷漠就越是懷念那溫暖的昨日，花下重門，柳邊深巷，這樣的美好怎能經得起在這般淒苦的日子裏回想。月圓思鄉，物是人非，衹有那夜空的一輪皓月，依然照著相隔而相思的你我。

畫堂春

落紅鋪徑水平池，弄晴小雨霏霏。杏園憔悴杜鵑啼，無奈春歸。　柳外畫樓獨上，憑闌手撚花枝，放花無語對斜暉，此恨誰知？

詞解　飄零凋落的花瓣鋪滿了園間的小路，池中的水已經上漲到與岸齊

胡仔苕溪漁隱叢話晁次膺綠頭鴨一詞殊清婉

平，天氣時晴時雨。杏園已失去了「紅杏枝頭春意鬧」的活力，它像一個青春不再的女子，容顏憔悴，失去了光澤。窗外枝頭上的杜鵑聲聲啼著，無奈春已歸去。

她獨自一人登上柳樹枝頭旁的畫樓，斜倚欄杆，手捻花枝，似有所思。她隨手捻著花枝，一會兒又將花枝放下，默默無語仰望天空，此時天空放晴，小雨也不知躲到哪裏去了，一道殘陽遠遠地從雲縫露出來，霞輝灑在她滿是憂愁的清秀臉龐上。她心中的「恨」有誰能理解呢？

千秋歲

水邊沙外，城郭春寒退。花影亂，鶯聲碎。飄零疏酒盞，離別寬衣帶。人不見，碧雲暮合空相對。　憶昔西池會，鵷鷺同飛蓋。攜手處，今誰在？日邊清夢斷，鏡裏朱顏改。春去也，飛紅萬點愁如海。

詞解　淡淡的春寒，彷彿一夜之間就從溪水邊、城郭旁悄悄退去了。忽如一夜春風來，枝葉繁茂，花隨風動，黃鶯輕啼，聲聲縈繞。這一切如此美，祇是我遠謫他鄉，無心飲酒，遠離家人，日益憔悴。所等之人，久久未見。回想當年西池盛會，同僚成行，車輛列隊。可如今，大家流散於四面八方，又有誰在？歲月流逝，紅顏改，白髮生，歸期無期。春光將逝，那紛飛的落花，猶如我那似海的憂愁。

晁元禮

綠頭鴨

晚雲收，淡天一片琉璃。爛銀盤、來從海底，皓色千里澄輝。瑩無塵、素娥澹佇，靜可數、丹桂參差。玉露初零，金風未凛，一年無似此佳時。露坐久、疏螢時度，烏鵲正南飛。瑤臺冷，闌干憑暖，欲下遲遲。　念佳人、音塵別後，對此應解相思。最關情、漏聲正永，暗斷腸、花影偷移。料得來宵，清光未減，陰晴天氣又爭知。共凝戀、如今別後，還是隔年期。人強健，清樽素影，長願相隨。

詞解　晚雲散去，天空中滿是燦爛的彩霞。明月從海底昇起，在天地間灑下皎潔的光輝。月亮是如此明亮晶瑩，一塵不染，甚至可以看見月亮上的嫦娥和桂花樹。露水初降，秋風涼爽，一年裏沒有比這更令人心曠神怡的時節了。在這月色美好的中秋佳節，詞人久久靜坐觀賞，看見螢火蟲不時從面前飛過，烏鵲正趁著夜色南飛。夜深天寒，而詞人憑欄佇立，欄杆竟被他倚得微微發暖了。他久久不願離去，透出一種惆悵纏綿的懷人情意。

詞人憑欄望月，其實是在思念遠方的佳人。自從與佳人分手後，詞人纔懂得了相思的滋味，他常常感到百無聊賴、年華虛度，看著花陰移過而倍感傷懷。今夜月色佳美，但誰又知此後天氣的陰晴變化呢？世事難料，如今他與佳人分隔兩地，共同凝望欣賞天上的明月，不知明年此時是否還能同賞中秋月。在百般的哀愁悵恨之中，詞人衹能祝願：「希望我們都能身體康健，年年的中秋節都能對著一杯清酒，共賞明月美景。」

趙令時

蝶戀花

欲減羅衣寒未去，不捲珠簾，人在深深處。殘杏枝頭花幾許？啼痕止恨清明雨。　盡日沉香煙一縷，宿酒醒遲，惱破春情緒。飛燕又將歸信誤，小屏風上西江路。

詞解　想要脫掉厚重的外套，怎奈春天總是乍暖還寒，寒氣尚未完全消歇。門上的珠簾懶懶地垂著，悶在閨閣深處的人兒，實在是無心捲起珠簾，就這樣獨自悶坐在家中。餘寒未消，那枝頭的杏花，又能綻放得了多久？深閨思婦的青春就如這凋零的杏花一般，韶顏易逝，紅顏不覺已老，清明的雨淅淅瀝瀝，淋雨的花瓣兒就像那花兒啼哭的淚痕。她惆悵難安，不由得怨恨起這不眠不休的細雨來，恨它過於無情，寒氣襲人，苦雨摧花。

昨夜借酒澆愁以忘憂，宿酒過量而醒來很遲。酒醒後的她，終日衹有一縷沉香相伴。本已百無聊賴，她又被這惱人的天氣撩得愈發心煩意亂。空中有燕子飛過，她不禁歡欣雀躍，以爲傳來了夫君歸家的喜訊，誰知卻是空歡喜一場，著實讓人煩惱難堪，她不由將一腔惱怨都發向飛燕。這莫名的怨恨正表達了她對離人的深切相思。她想象著離人在異鄉的種種來排遣寂寞，就像他仍在自己身邊一樣。全詞語言婉約清麗，情致柔和纏綿，意境蘊藉含蓄，結尾餘韻不盡，神味久遠。

清平樂

春風依舊，著意隋堤柳。搓得鵝兒黃欲就，天氣清明時候。　去年紫陌青門，今宵雨魄雲魂。斷送一生憔悴，衹銷幾個黃昏。

詞解　春風還同從前一樣，吹拂著堤上的垂柳。楊柳的枝葉在春風中呈現出淡黃色，就像小鵝羽毛一樣，在這輕暖輕寒，氣候怡人的清明時節，處處都是清和明麗的美好春景。詞人面對美景不由想起往昔，他與情人歡愛相聚，過著兩情相悅的快樂生活。而如今她卻已香消玉殞，雨散雲消化爲了縹緲魂魄！昔日的歡樂更顯出今時的冷落。今朝依舊是春風拂柳的美景，從此以後再也不堪目睹，物是人非，見之斷腸傷神。衹須幾個黄昏，就能斷送他一生的相思憔悴。最難堪黄昏淒寂，然而不知此生今後還將消受多少寂寞黄昏。眞是沉痛哀絶，再無歡趣！

張耒

秋蕊香

簾幕疏疏風透，一綫香飄金獸。朱闌倚遍黄昏後，廊上月華如晝。　別離滋味濃如酒，著人瘦。此情不及牆東柳，春色年年如舊。

詞解　春風從稀疏的簾幕間吹進來，銅香爐吐出一縷輕煙，淡淡的芳香在屋子裏瀰漫著。詞人即將與戀人離別，黄昏之後，他心緒不寧地倚著欄杆，滿懷離別的哀愁，而這時皎潔的月光已將屋廊照得明亮如白晝。這淒清的景致烘託出詞人心中的無限悵恨。

離別的滋味比酒還要濃厚，讓人不覺憔悴消瘦。詞人就要與戀人分手，他

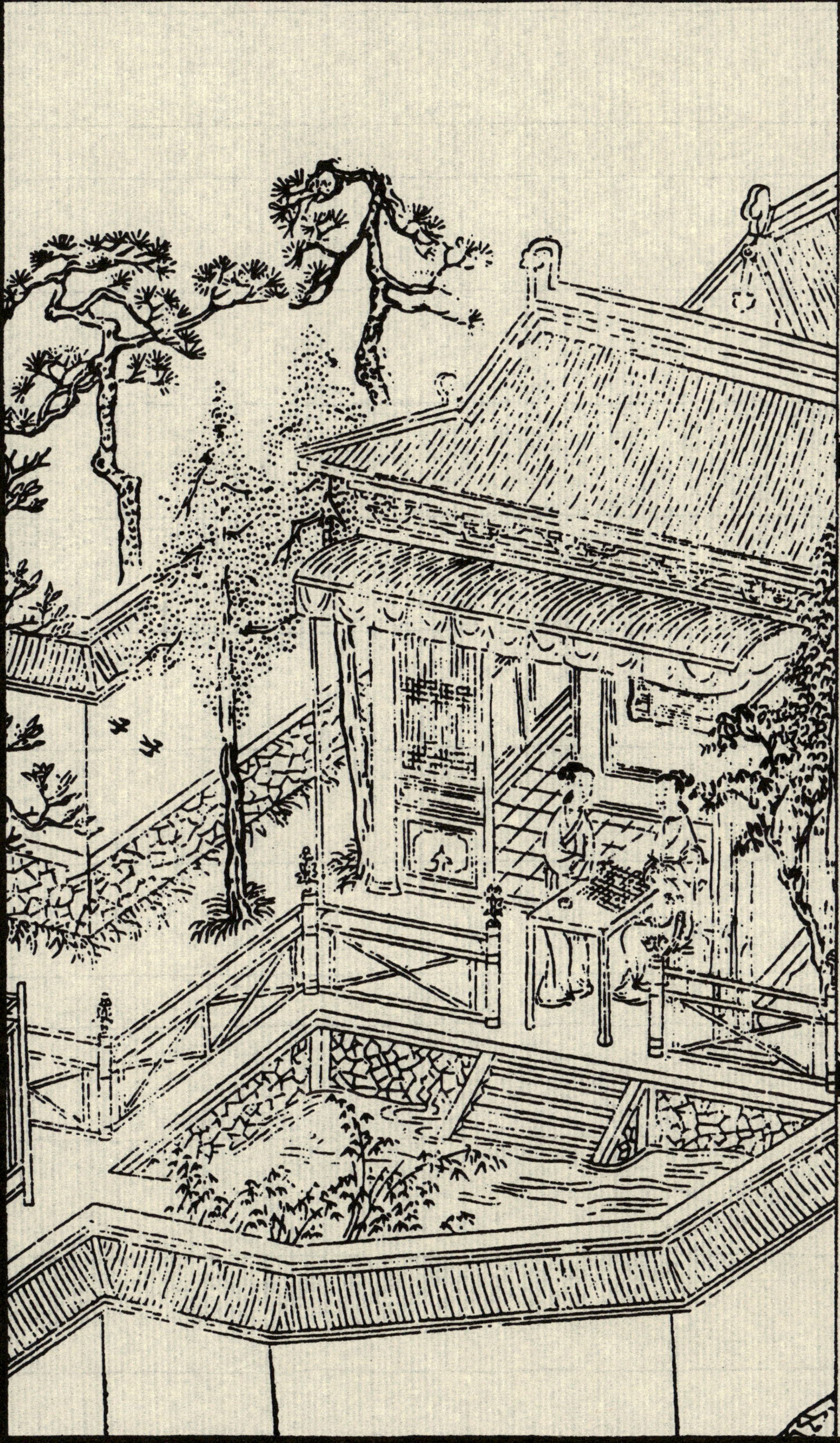

馮煦《宋六十一家詞選例言》：晁無咎爲蘇門四學士之一，所爲詩餘無子瞻之高華，而沉咽則過之。

劉克莊：語意度容閑，氣力寬餘，一洗詞人窮餓酸辛之態。

不禁感歎人的感情還不如牆東的柳樹：每年春天來臨的時候柳樹都會青春如舊，而兩人的感情卻不知是否還能有緣再續。此詞感慨與戀人分手後舊情難續，纏綿悱惻，玩味不盡。

晁補之

水龍吟

次韻林聖予《惜春》

問春何苦匆匆？帶風伴雨如馳驟。幽葩細萼，小園低檻，壅培未就。吹盡繁紅，佔春長久，不如垂柳。算春長不老，人愁春老，愁祇是、人間有。　春恨十常八九，忍輕孤、芳醪經口。那知自是，桃花結子，不因春瘦。世上功名，老來風味，春歸時候。最多情，猶有樽前青眼，相逢依舊。

詞解　春天挾風帶雨飛馳而過，詞人不禁責問它爲什麼走得這樣匆忙，埋怨之中露出惜春之情。小園中精心栽培的花朵尚未完全開放，卻已被風吹落。繁花易謝，倒不如垂柳青青，能長時間擁有春天。其實，春愁不在春光自身，人愁春花，這春愁祇是人的情懷罷了。

正因爲人不悟自然，因此常滿懷春恨，借酒澆愁。人們傷春惜花，卻不知這並非春天無情地摧落桃花，而是桃樹自己要結子了，一切都出於自然。而人們的傷春之情，其實是與人生世事相關，是因爲功業難成、歲月遲暮而感到惆悵。全詞在惜春中注入身世愁緒，融入人生哲思，點明人情勝過物理，難逃人生愁恨的主旨，深邃而婉曲。

晁沖之

臨江仙

憶昔西池池上飲，年年多少歡娛。別來不寄一行書。尋常相見了，猶道不如初。　安穩錦衾今夜夢，月明好渡江湖。相思休問定何如。情知春去後，管得落花無？

詞解　追懷當年，詞人年年與故友到金明池邊宴飲歡娛，那浪漫快樂的生活至今銘刻在心，讓他難以忘懷。然而昔日西池歡宴的故友或謫或逐，一朝雲散，分別以後都音信杳無。平常相見的時候，都感到今日的處境不如當初。詞人夜裏夢見自己在月明中放舟江湖。西池歡娛已散，仕途風波殘酷，哪裏是他安身立命之所呢？春天離去之後，就顧不得照管落花了。「安穩」二王灼碧雞漫誌：舒信道、李元膺，思致妍密，要是波瀾小。

歷代詞話：讀其詞，想見其人，不愧爲蘇軾黨也。

字透露出詞人身心安穩的寄託乃在「江湖」，透露出詞人歸隱田園的願望。

舒亶

虞美人

芙蓉落盡天涵水，日暮滄波起。背飛雙燕貼雲寒，獨向小樓東畔、倚闌看。

浮生祇合尊前老，雪滿長安道。故人早晚上高臺，寄我江南春色、一枝梅。

詞解　這是一首寄贈友人的詞。日暮時分，詞人登高遠望，秋風江上，水天相接，煙波無際，他心中的羈旅愁思，也隨著煙波蕩漾而起。詞人與友人被迫分別，猶如勞燕分飛，而他就像孤雁一般，越發害怕那雲中的高寒。詞人獨自一人，在高樓上倚著欄杆目送友人離京南下遠去，此情此景，直至今日，他仍無法忘懷。

詞人感歎，自己這一生也許就祇能在酒席之前慢慢老去。對他來說，人生就像那水面的浮沫一般旋生旋滅，虛幻而空虛。他已是暮年卻仍然滯留汴京，身邊的舊日友人都各奔東西，彼此音訊杳無，白茫茫的積雪鋪滿了長安道，讓人愈發覺得冷清寂寞。詞人料想遠方的友人在冬日裏也會思念惦記著自己，也會在早晚都登上高臺眺望長安，並且折贈一枝江南的梅花給他，就好似寄來了滿城的江南春色。詞人化用南朝陸凱自江南折梅寄贈長安好友范曄的典故，設想友人思念自己而抒發了對友人的深切懷念。全詞借景寓情，曲寫身世滄桑之變化與故人友誼的深厚，清新雅麗，堪稱佳作。

朱服

漁家傲

小雨纖纖風細細，萬家楊柳青煙裏。戀樹濕花飛不起，愁無際，和春付與東流水。

九十光陰能有幾？金龜解盡留無計。寄語東陽沽酒市，拚一醉，而今樂事他年淚。

詞解　此詞爲惜春抒懷之作。暮春時節，細雨潤物，微風吹拂，滿城楊柳，萬家屋舍就掩映在楊柳的青煙綠霧之中。殘花被雨水淋濕，將落未落，好像是深深地眷戀著樹枝，然而落花終將會凋零，連帶著春光都無可奈何地付與東流水而消逝。這落花仿佛就是詞人命運的象徵，詞人不禁觸景傷春，流露出晚年遭貶的淒楚和感傷。

韶光易逝，美好春光能有多久呢？短暫的春光無法留住，詞人自然產生了不如及時行樂的思緒，他沽酒痛飲，拚得一醉消愁尋樂，彌補春去的遺憾！然而，如今一時的快樂衹能使詞人暫時忘卻眼前的悲愁，等到他年回味今天這種愁中求歡、苦中尋樂的癡舉，將會更深地感到「和春付與東流水」的無奈和悲哀，流下痛楚的淚水。全詞寫景寓情，語句工麗俊美，生動形象地將失意之人綿綿愁緒難以排遣的景況表現了出來。

周煇清波雜誌語盡而意不盡意盡而情不盡何酷似乎少遊也

毛滂

惜分飛

富陽僧舍作別語贈妓瓊芳

淚濕闌干花著露，愁到眉峰碧聚。此恨平分取，更無言語空相覷。斷雨殘雲無意緒，寂寞朝朝暮暮。今夜山深處，斷魂分付潮回去。

詞解 此詞爲贈別抒情之作。詞人與情人瓊芳告別的時候，她淚流滿面，就像花兒被雨露打濕一般，愁聚黛眉，依依惜別。這種分離的苦痛，相思的煎熬，詞人與她是一樣的，他們彼此相愛，悲歡與共。分別之際，他們無語凝噎，神魂失落，彼此都備感空虛茫然。

詞人在深山羈旅之中，零落的雨點和飄蕩的殘雲與離人的心境正相吻合，讓他愈發覺得空虛寂寞，對瓊芳的思念讓他痛斷肝腸。詞人夜宿青山深處的富陽僧舍，在百無聊賴的寂寞中聽著富春江的濤聲，不禁心潮澎湃，突發奇想：「我要讓那江潮將我的離魂帶回去，陪伴那與我同樣相思不寐的瓊芳！」全詞將相思離情表達得極爲深摯而酣暢。

譚獻譚評詞辨醉眼不逢人午香吹暗塵諷刺顯然

陳克

菩薩蠻

赤闌橋盡香街直，籠街細柳嬌無力。金碧上青空，花晴簾影紅。　黄衫飛白馬，日日青樓下。醉眼不逢人，午香吹暗塵。

詞解 赤闌橋盡頭就是筆直的香街，街道兩旁種滿了細細的垂柳，柳枝飄拂好似嫵媚佳人一樣嬌慵柔弱。香街上一座座金碧樓閣高與天接，樓閣前繁花映著晴空，樓閣帷簾裏閃現著紅影。富貴少年騎著白馬飛奔而過，每日都流連在青樓中，歌舞酒宴，尋歡作樂。他們從青樓裏醉眼迷離地走出來，旁若無人地走過十里長街。白馬馳過，暗塵漫揚，正午時隨風彌散的香氣便混合在了塵土之中！全詞寫景婉雅，摹態傳神，可以說是當時都市繁華景象的一個即景。

沈際飛草堂詩餘不在濃芳在疏香小艷獨識春光之微至已失一半句誰不猛省

李元膺

洞仙歌

一年春物，惟梅柳間意味最深。至鶯花爛漫時，則春已衰遲，使人無復新意。予作《洞仙歌》，使探春者歌之，無後時之悔。

雪雲散盡，放曉晴庭院。楊柳於人便青眼。更風流多處，一點梅心，相映遠，約略顰輕笑淺。　一年春好處，不在濃芳，小艷疏香最嬌軟。到清明時候，百紫千紅，花正亂，已失春風一半。早佔取、韶光共追遊，但莫管春寒，醉紅取暖。

詞解　此詞寫梅柳早春景色之美，提出探春及早的主旨。早春時節，雪雲散去，春晴復歸。楊柳初生的嫩芽新葉向人綻放「青眼」，彷彿在對人傳達情意。更美的是，嬌艷的梅花苞蕾未綻，遠遠地映襯著楊柳，好似輕顰淺笑的少女一般。

一年中春光最美的時候，不在於百花盛開，而在春寒未盡的早春時節，梅柳給尚嫌蕭索的大地平添絲絲點點的春色，是最爲嬌柔的，這時春光是最美的。而到了清明暮春時，百花競放，萬紫千紅，春色已極盛轉衰，早春梅柳的俏艷新意已全然將盡。因此，詞人提出探春賞花要趁著初春時節方能領略春天景色的新意：不要怕早春寒冷，大不了喝酒取暖，也要「早佔韶光」！這首詞寫春景春意別出機杼，發人深思，表現了詞人對於春光春景獨特的審美眼光。

毛晉姑溪詞跋中多次韻小令更長於淡語景語情語

李之儀

卜算子

我住長江頭，君住長江尾。日日思君不見君，共飲長江水。　此水幾時休？此恨何時已？衹願君心似我心，定不負相思意。

詞解　「我住在長江上游，你住在長江下游，我們相隔千里，難以見面。我天天思念著你，卻無法和你相見，衹有想到你也住在江邊，和我同飲一江之水，心裏纔能稍感安慰。」滔滔江水阻隔了一對有情人，卻又將他們聯繫在一起，它承載著太多的思念，綿長無絕。

奔流的江水什麼時候纔會枯竭呢？有情人什麼時候纔能相會？她對心上人的情意永遠不會改變。面對現實的阻礙，她把一腔期盼化作了堅定的誓言：「希望你的心也和我一樣，常常把我牽掛，一定不要辜負我的相思之意。」

周邦彥

解語花・上元

風銷焰蠟，露浥烘爐，花市光相射。桂華流瓦，纖雲散、耿耿素娥欲下。衣裳淡雅，看楚女纖腰一把。簫鼓喧、人影參差，滿路飄香麝。　因念都城放夜，望千門如晝，嬉笑遊冶。鈿車羅帕，相逢處、自有暗塵隨馬。年光是也，惟衹見、舊情衰謝。清漏移、飛蓋歸來，從舞休歌罷。

王國維人間詞話：美成解語花之「桂華流瓦」境界極妙

詞解　元宵節時，風吹動了燭焰，露水浸濕了花燈，燈市上明亮輝煌，熱鬧非凡。淡淡的雲彩散去，皎潔的月光照映著大地，彷彿嫦娥就要翩翩來到人間。燈市上出外遊玩的女子衣著素雅，身姿曼妙。簫鼓喧鬧的街頭，遊人接踵摩肩，滿路都飄散著幽香。

眼前這歡樂的場景勾起了詞人的回憶，想當年在京城，元宵節開放夜禁，千家萬戶都燈火通明，照得如同白天，人們盡情嬉笑冶遊。富貴的人家坐著華麗的車馬經過，人們跟隨其後，揚起一陣塵土。那是多麼繁華的景象！如今光景還同從前一樣，佳節依舊，然而詞人的冶遊之情卻已衰減。夜深之後，他無意再賞月觀燈，於是驅車歸家，不再歌舞狂歡了。詞人將當時當地的元宵盛況與回憶中京城元宵節的情景結合起來，隱約流露出去國離鄉、今不如昔的傷感。

蝶戀花

月皎驚烏棲不定，更漏將闌，轆轤牽金井。喚起兩眸清炯炯，淚花落枕紅綿冷。　執手霜風吹鬢影，去意徊徨，別語愁難聽。樓上闌干橫斗柄，露寒人遠雞相應。

徐士俊語：夜色晨光將斷將續之際，寫得黯然欲絕

詞解　這首詞寫秋天清晨送別情人。皎潔的月色驚擾了樹上棲息的烏鴉，天色即將破曉，遠處傳來一陣陣用轆轤汲水的聲音。詞人即將與愛人分別，他心神不定，入睡不熟，因此這輕微的聲音將他驚醒了。醒來之後，他的眼裏含著晶瑩的淚水，又由於一夜的輾轉反側，眼淚浸濕了紅綿。詞人通過對這一細節的描寫，生動地表現出離別前的淒切與深情。

臨別之時，兩人牽著手淚眼相看，淒冷的秋風吹動了兩人的鬢髮。他內心徘徊不忍離去，可臨別時的千般叮嚀萬般囑咐，真是不忍再聽下去。兩人分別之後，送行之人連忙登樓遠望，想再見到他的蹤影。然而北斗七星橫在黎

況周頤蕙風詞話：拚今生對花對酒，爲伊淚落。此等語愈樸愈厚，愈厚愈雅，至眞之情由性靈肺腑中流出，不妨說盡而愈無盡。

明的天空中，寒露侵人，情人已經走遠了，衹有曉雞啼鳴，彼此呼應。全詞寫離別，曲折纏綿，委婉動人，讀後令人意想綿綿。

解連環

怨懷無託，嗟情人斷絕，信音遼邈。信妙手、能解連環，似風散雨收，霧輕雲薄。燕子樓空，暗塵鎖、一床絃索。想移根換葉，盡是舊時，手種紅藥。　汀洲漸生杜若，料舟依岸曲，人在天角。漫記得、當日音書，把閑語閑言，待總燒卻。水驛春回，望寄我、江南梅萼。拚今生、對花對酒，爲伊淚落。

詞解　此詞爲訪問情人舊居，抒發懷人癡情之作。情人絕情離去，音信杳無，詞人滿腔失戀的怨傷無處寄託。愛情就像風消雨停，雲飄霧散一樣消失了，但情網的困縛卻像玉連環一樣難以解開。佳人遠走，人去樓空，衹有塵土鋪滿了琴床。而庭院裏的紅芍藥，還是佳人昔日親手種下的。物是人非，詞人怎麽能不產生睹物思人的悵恨之感呢？

當年情人送別的地方已長出了香草，如今她已乘舟離去，遠在天涯，無可尋覓。回憶當初自己與她相戀之時，一度海誓山盟，情書往來，可是這些情話都是空言，詞人恨不能將它們全都燒去。詞人雖然怨恨她的無情，卻還是癡心不改，希望能得到她的音信。他這一生，對花對酒，還是會爲她傷心落淚。全詞怨中傳情，深婉眞切，無限癡情感人肺腑。

關河令

秋陰時晴漸向暝，變一庭淒冷。佇聽寒聲，雲深無雁影。　更深人去寂靜，但照壁、孤燈相映。酒已都醒，如何消夜永？

陳廷焯雲韶集：雲深無雁影，五字千古。

詞解　此詞爲寒秋羈旅傷懷之作。秋雨連綿不斷，衹偶爾放晴，漸到了黃昏時分，庭院裏一派淒冷。這淒淸的秋日暮景，就像是旅人的悲涼心情，難得有片刻的晴朗。詞人長夜難眠，他佇立在庭院中仰望雲空，然而雲層陰霾深厚，看不見鴻雁蹤影。音書無望，更增添了詞人的失落和孤獨。

夜深了，旅伴們都已散去，天地間萬籟俱寂，衹有一盞孤燈陪伴著寂寞的詞人，將他的身影映照在牆壁上。詞人一直借酒消愁，以求在醉眼中熬過寒夜，然而此刻，他的酒意已醒，羈旅愁情湧上心頭，該如何熬過這漫長的寒夜啊！詞人將羈旅的悲愁和淒苦推至無可解脫的境地，表達出了他的苦悶和無助。

俞陛雲唐五代兩宋詞選釋：下闋舊曲三句作以頓挫，以下如乘溜放舟，不須篙櫓，其情詞之幽咽，若清夜啼猿，令人不怡也。

周濟宋四家詞選：結構精奇，金針度盡。

尉遲杯

隋堤路，漸日晚、密靄生深樹。陰陰淡月籠沙，還宿河橋深處。無情畫舸，都不管、煙波隔前浦。等行人、醉擁重衾，載將離恨歸去。

因思舊客京華，長偎傍疏林，小檻歡聚。冶葉倡條俱相識，仍慣見、珠歌翠舞。如今向、漁村水驛，夜如歲、焚香獨自語。有何人、念我無聊，夢魂凝想鴛侶。

詞解　天色漸漸晚了，隋堤路畔，濃密的暮靄從樹林中瀰漫出來。陰沉的淡月籠罩著岸邊沙地，詞人泊舟夜宿在河橋深處。無情的畫舸不在乎江上的煙波，也不顧念行人的離愁別緒，載著離人越行越遠。

詞人懷念舊日在京城中度過的歲月，他常常與歌妓們冶遊歡宴，歌舞盡歡，過著風流快樂的生活。而如今，他停泊在漁村驛館，獨自面對著漫漫長夜。他不禁想到：「那些相好的女子中，誰會想到我正百無聊賴，也在遠方思念著我呢？」

瑞鶴仙

悄郊原帶郭，行路永、客去車塵漠漠。斜陽映山落，斂餘紅，猶戀孤城闌角。凌波步弱，過短亭、何用素約。有流鶯勸我，重解繡鞍，緩引春酌。

不記歸時早暮，上馬誰扶，醒眠朱閣。驚飆動幕，扶殘醉，繞紅藥。歎西園，已是花深無地，東風何事又惡？任流光過卻，猶喜洞天自樂。

詞解　郊外的原野連著城郭，漫漫長路上，遠去的車馬揚起陣陣塵土。詞人送走了客人，這時斜陽正徐徐落下，照著孤城欄角。在回城的路上，詞人經過路邊的亭舍，偶然遇見了一位相識的歌妓。她勸詞人解鞍少憩，兩人舉杯飲酒。

詞人開懷暢飲，又成酒醉，醒來已是次日。他扶殘醉以賞花，然而東風無情，西園裏的繁花已落得滿地都是，詞人油然生出了流光易逝的感慨。然而他唯一感到欣慰的是，自己在這宛如神仙境地的西園賞花，自得其樂，也不枉此生。

瑞龍吟

章臺路，還見褪粉梅梢，試花桃樹，愔愔坊陌人家，定巢燕子，歸來舊處。

黯凝佇，因念個人癡小，乍窺門戶。侵晨淺約宮黃，障風

映袖，盈盈笑語。　前度劉郎重到，訪鄰尋里。同時歌舞，惟有舊家秋娘，聲價如故。吟箋賦筆，猶記燕臺句。知誰伴，名園露飲，東城閑步。事與孤鴻去，探春盡是，傷離意緒。官柳低金縷，歸騎晚、纖纖池塘飛雨，斷腸院落，一簾風絮。

詞解　詞人行走在章臺路上，又一次看見梅花凋謝的景象，儘管梅花凋殘，桃樹上的桃花卻含苞待放。這片聚集著歌妓舞女的地方如今一片寧靜，往日裏築巢的燕子，如今也重新飛回舊巢。

詞人站在那裏，心中無限淒涼，衹因爲仍然懷念著自己當時的美好，便嘗試著透過門戶向院內窺探。還記得那時的佳人，每天清晨起床畫好淡淡的妝容，在風中蹁躚起舞，歡聲笑語至今回蕩在詞人耳畔，揮之不去。

詞人想象自己，正如當日去而復返的劉禹錫一樣，向左鄰右舍打探佳人的消息。與佳人一同出道的歌舞妓中，如今衹剩下秋娘一人，聽說秋娘的名聲和身價都不減當年。詞人曾經興起賦詩，那些歌妓如同當年的歌妓聽到李商隱吟誦《燕臺》詩句一樣，對詞人愛慕不已。可現如今，又有誰能陪在他身邊，同他一起在花園裏露天飲酒，在東城裏閑庭信步呢？往事如煙，早

已隨著那孤獨的大雁一去不回，詞人想要找尋春天，找到的卻滿是離愁別緒。那官道兩旁的柳樹，長長的枝條如同一條條金綫，在細雨中，伴隨著過往的馬匹輕輕搖曳。詞人看著眼前這個令人傷心斷腸的院落，想著往日如風，早已人去樓空，衹剩下漫天的柳絮，隨風不斷撲向門口的簾幕。

浪淘沙慢

晝陰重，霜凋岸草，霧隱城堞。南陌脂車待發，東門帳飲乍闋。正拂面垂楊堪攬結。掩紅淚、玉手親折。念漢浦離鴻去何許，經時信音絕。　情切。望中地遠天闊。向露冷風清無人處，耿耿寒漏咽。嗟萬事難忘，惟是輕別。翠樽未竭，憑斷雲、留取西樓殘月。　羅帶光銷紋衾疊，連環解，舊香頓歇。怨歌永、瓊壺敲盡缺。恨春去、不與人期，弄夜色，空餘滿地梨花雪。

詞解　拂曉時分，天空中的霧氣很重，在寒霜的侵襲下，岸邊的野草全都枯萎了。城上的矮牆隱藏在濃重的霧氣之中。南邊的城郊道路上，車子已經塗好了油脂，隨時可以出發了，東門外的宴飲剛剛結束。楊柳拂面，此時已經到了可以摘下柳枝進行編織的季節。佳人輕輕拭去眼角的淚水，用纖纖

玉手親自摘下一條柳枝贈給遠行的人。回想當初離去的大雁，不知飛到何處去了，一直到現在仍然杳無音訊。

想念之情情眞意切，遠遠望去，天大地大，知曉彼此相隔萬水千山。詞人在夜冷風清，沒有行人的地方，獨自垂淚感歎。在這樣的世道裏，最讓人無法忘記的，就是離別之情。那翠綠玉杯中的酒水尚且沒有完全乾涸，遠去的人兒還沒有走遠，就請那天空的雲朵，暫且幫助自己留住那即將消失的殘月吧！

佳人留下的衣帶，已經漸漸失去了顏色，就連她往日蓋過的被子，如今也早已疊得工工整整放在那裏，不再使用。日復一日，被子上佳人的香味也逐漸淡去了。那些哀傷的歌曲，沒有窮盡的時候，盛酒的瓊壺，早已被詞人敲得到處都是缺口。面對春天的離去，面對佳人的不知歸期，詞人滿腹惱恨。沒有其他辦法，衹有在這樣的夜晚，獨自把玩著夜色，那飄落滿地的梨花，如同皚皚白雪，讓人思念愈深。

浣溪沙

樓上晴天碧四垂，樓前芳草接天涯。勸君莫上最高梯。 新筍已成堂下竹，落花都上燕巢泥。忍聽林表杜鵑啼。

詞解 詞人站在樓上，眺望著遠處。今日晴空万里，衹見四周到處都是無邊無際的藍天，藍天、大地在遠處相接於一綫，甚至分不出哪裏是天，哪裏是地。樓前的草色青翠，一直延伸到遠方。詞人思緒萬千，開始思念起自己的家鄉。於是，詞人告訴世人：不要登上高樓遠眺。因爲這會勾起人們無盡的鄉情。

如今已至暮春，春日的大好時光即將過去了。當初新發芽的春筍，現在已經長成竹子了，而那些往日裏嬌艷欲滴的花朵，也早已經凋謝，花瓣被燕子啣起，築巢用了。此情此景，原本已經令人悲傷，沒想到遠處林子中的杜鵑鳥也恰好在此時啼叫起來，彷佛在呼喚遠離家鄉的遊子早日歸來。

滿庭芳

夏日溧水無想山作

風老鶯雛，雨肥梅子，午陰佳樹清圓。地卑山近，衣潤費爐煙。人靜烏鳶自樂，小橋外、新淥濺濺。憑闌久，黃蘆苦竹，疑泛九江船。 年年，如社燕，漂流瀚海，來寄修椽。且莫思身外，長近尊前。憔悴江南倦客，不堪聽、急管繁絃。歌筵畔，先安簟枕，容我醉時眠。

詞解 幼小的黃鶯在風中逐漸長大變老了，梅子也在雨水的滋潤下愈發肥大起來。晌午的時候，園中的大樹投下一個陰涼的影子。這裏地勢低窪，並且與山巒十分接近，衣服經常受潮，需要用很多爐火纔能烘乾。生活在這個地方的人們寧靜悠閑，就連這裏的烏鴉和老鷹也都怡然自得。村外的小橋下，溪水潺潺流過。詞人倚靠在欄杆邊，看著溪水兩岸叢生的蘆葦和苦竹，仿佛看到當年白居易淪落九江的時候，在船中聽琵琶女彈奏一樣。

就這樣一年又一年，詞人如同燕子一樣，四處飄零，想要找尋一個可以做窩的屋椽。也罷，也罷，還是先不要想這些身外之事，大口大口喝下面前的美酒吧！詞人心已疲倦，意已憔悴，又怎麼會有心情去傾聽那些急促紛繁的樂聲呢？就在歌舞宴席的附近，安放好一張席子，以便詞人酒醉之後可以酣睡一場吧！

蘇幕遮

燎沉香，消溽暑。鳥雀呼晴，侵曉窺簷語。葉上初陽乾宿雨，水面清圓，一一風荷舉。　故鄉遙，何日去？家住吳門，久作長安旅。五月漁郎相憶否？小楫輕舟，夢入芙蓉浦。

詞解　燃起沉香，以此來消除夏季悶熱潮濕的暑氣。鳥雀們也在不斷地呼

喚晴天趕緊到來，天快亮的時候，它們已經站在屋檐下嘰嘰喳喳地交談起來。初昇的太陽曬乾了荷葉上積攢的昨夜的雨水，水面上的荷花此刻開得正艷，筆直地伸出水面。

此情此景，令詞人產生了濃厚的思鄉之情，可是詞人的故鄉遙遠，不知道何日纔能重返故鄉。詞人家在吳越一帶，可他卻常年久居在京城長安。詞人不禁想到：現在已經是五月了，不知道家鄉那兒時的玩伴是否還記得我，可否划著輕舟，在夢裏載著我划進那久違的荷花池。

少年遊

并刀如水，吳鹽勝雪，纖手破新橙。錦幄初溫，獸香不斷，相對坐調笙。　低聲問：向誰行宿？城上已三更。馬滑霜濃，不如休去，直是少人行。

詞解　并州出產的剪刀鋒利得如同流水一樣不留痕跡，吳地出產的食鹽潔白得如同白雪一樣，女子用自己的玉手爲心上人剝開一顆新鮮的橙子。帷帳裏的溫度逐漸昇了起來，不再寒冷，獸形的香爐裏不斷冒出陣陣清香，女子面對心上人而坐，正細心調試著自己手中的笙。

女子一邊調試樂器，一邊低聲問男子：到哪裏去住宿？這個時候，已經是三更時分了。更深露重，馬也容易打滑，街上已經沒有幾個行人了，不如就在這裏休息，等到明天再離開吧。

水龍吟・梨花

素肌應怯餘寒，豔陽佔立青蕪地。樊川照日，靈關遮路，殘紅斂避。傳火樓臺，妒花風雨，長門深閉。亞簾櫳半濕，一枝在手，偏勾引、黃昏淚。　別有風前月底。佈繁英，滿園歌吹。朱鉛退盡，潘妃卻酒，昭君乍起。雪浪翻空，粉裳縞夜，不成春意。恨玉容不見，瓊英謾好，與何人比？

詞解　梨花那潔淨無瑕的肌膚怎麼能忍受得住這早春的餘寒呢？但是，儘管天氣寒冷，素肌似雪的梨花仍然在陽光的照耀下亭亭玉立地挺立在草地中。北至樊川，南及靈關，處處都有繁花似錦的梨花，它們在豔陽下驕傲地盛開著，遮擋了道路。寒食節後，再舉新火，風雨也嫉妒梨花的美麗，想要破壞它。陳阿嬌在這淒風苦雨中，半掩門簾，爲花朵遮風擋雨。轉眼間門簾已經被風雨淋濕了一半，阿嬌卻仍然手中握著一枝花，獨自在黃昏下垂淚。

聯想到當年梨園中的梨花香雪，絲竹管絃，是多麼令人興奮。然而如今，美人遲暮，就連那妖嬈的潘妃，也飲不下美酒，那美貌的昭君，也一去不返。往事如煙，飄渺消散。如今衹剩下漫天的梨花，在空中飛舞，這樣的情景又怎麼能稱得上是美好的春天呢？恨衹恨那往日的嬌俏容顏，再也不會重現，就算是梨花再美，沒有美人相稱，又有何美麗可言呢？

蘭陵王・柳

柳陰直，煙裏絲絲弄碧。隋堤上，曾見幾番，拂水飄綿送行色？登臨望故國。誰識京華倦客？長亭路，年來歲去，應折柔條過千尺。閑尋舊蹤跡。又酒趁哀絃，燈照離席。梨花榆火催寒食。愁一箭風快，半篙波暖，回頭迢遞便數驛，望人在天北。　淒惻，恨堆積。漸別浦縈回，津堠岑寂。斜陽冉冉春無極。念月榭攜手，露橋聞笛。沉思前事，似夢裏，淚暗滴。

詞解　豔陽高照，陽光下的柳樹影子筆直地伸向遠方，霧靄之中，絲絲柳條彷彿在炫耀自己的嫩綠。這條長長的隋堤上，柳樹曾經抽出過多少次枝條，又飄揚過多少次柳絮，詞人曾經在這裏送走過多少好友？如今，誰還認識詞人這位寄居在京都的、疲憊不堪的遊子？那條送別的長亭路，長年纍月，人們不知折下了多少柳枝贈別，這些柳枝加在一起，恐怕超過一千尺了。

詞人閑來無事，試圖尋訪舊時一同遊歷的蹤跡。喝著美酒，伴隨著哀傷的琴聲，燈影所到之處，如今卻成空席。此時正梨花盛開，就快要到寒食節了。詞人感慨船行之快，如同離弦之箭一樣，在春風的吹送下，剛剛還在眼前，衹一會兒工夫，再一回頭，便已經划過好幾個驛站了，再回望那送行的人，卻早已遠在天涯了。

想到這裏，不禁讓人心生悲戚，積攢許久的離愁別恨堆積到一起，一發不可收拾。如今那曲折迴繞的江水，那供人瞭望的渡口土堡，全都一片寂靜。衹剩下一輪紅日，緩緩西沉，滿眼的春光，沒有窮盡。詞人回憶起那時與心上人在月色下的樓臺手牽著手，一同欣賞著美麗的夜色，一起站在橋頭，聆聽那悅耳的笛聲。每當想起往事，就如同夢境一樣，衹能獨自垂淚。

玉樓春

詠劉阮事

桃溪不作從容住，秋藕絕來無續處。當時相候赤闌橋，今日獨尋黃葉路。　煙中列岫青無數，雁背夕陽紅欲暮。人如風後入江雲，情似雨餘粘地絮。

詞解　當初詞人與心上人兩情相悅，本應該長相廝守，奈何當時卻沒有在這裏長期居住，輕易與心上人離別了，如今再來找尋，正如那秋日裏斷了的蓮藕，再也無法重新連接到一起了。還記得當時詞人和心愛的女子彼此在赤闌橋上相依相偎，如今，衹剩下詞人自己，孤獨地行走在兩人曾經一起走過的黃葉路上。

轉眼間，暮色將至，煙嵐中無數青黛色的山巒在遠處排列著。孤雁向遠方飛去，雁背之上的夕陽紅如血。想那昔日的佳人，就好像是那隨風飄散的雲朵，早已消失不見，而詞人對佳人的思念之情，卻如同雨後粘在地上的柳絮一樣，難捨難分。

賀鑄

青玉案

凌波不過橫塘路，但目送、芳塵去。錦瑟華年誰與度？月橋花院，瑣窗朱戶，衹有春知處。　飛雲冉冉蘅皋暮，彩筆新題斷腸句。若

俞陛雲唐五代兩宋詞選釋下闋閑愁以下四句用三疊筆寫愁如三疊陽關令人淒絕

張炎詞源賀方回吳夢窗皆善於煉字面者多於李長吉溫庭筠詩中來

問閑愁都幾許，一川煙草，滿城風絮，梅子黃時雨。

詞解 詞人路遇他心儀的女子，她步履輕盈，好似驚鴻一般的洛神，可是她沒有走到詞人所在的橫塘便翩然離去了。詞人衹能站在路旁，目送她的身影漸漸遠去。他傾心眷戀，不禁遐想：她會和誰共度青春年華呢？清麗幽雅的樓臺院落，彩繪雕花的窗戶門楣，她住在那深閨之中，外人難以一睹芳容，恐怕衹有春光纔知道她的住所，可以與她作伴吧。

詞人一片癡心，久久佇立，直望到天色漸晚。暮雲冉冉飄蕩，水邊芳草茫茫，詞人用他那富有才華的彩筆寫下了斷腸的詞句，來記述這份癡情。如果要問他的愁思到底有多少，它無窮無盡，綿綿不絕，就像遍野輕煙籠罩下的萋萋芳草，就像滿城隨風飄飛的柳絮，就像初夏梅黃季節終日不斷的細雨。詞人用芳草、飛絮、細雨這三種纏綿淒美的事物將難以描摹的「愁」形象傳神地表達了出來。

感皇恩

蘭芷滿汀洲，遊絲橫路。羅襪塵生步，迎顧。整鬟顰黛，脈脈兩情難語。細風吹柳絮，人南渡。 回首舊遊，山無重數。花底深朱戶，

何處？半黃梅子，向晚一簾疏雨。斷魂分付與，春將去。

詞解 此詞是一首抒寫相思離情的作品。芳草開滿了水中小洲，柳絲隨風飄滿了道路。詞人與情人在這明媚的春光裏相見，她身姿輕盈地款款走來，迎向詞人。她手撫髮髻，輕顰蛾眉，兩人含情脈脈地相視，萬般的柔情一時卻說不出口。微風吹拂著柳絮，兩人相見不久卻又要離別，詞人就像這風中飄絮一樣，乘舟向南而去。

離別之後，詞人深切懷念他的情人。回首從前一同遊玩的地方，遠山重隔，已經越來越望不見了。遙想花樹底下的朱戶人家，她在何處呢？梅子半黃，傍晚時簾外疏雨淅瀝。面對著暮春情景，再加上心中滿是相思的愁苦，怎麼能不讓人感到黯然傷神呢？全詞情景交融，步步推進，抒情委婉而曲折，情景疏淡而又濃烈，是一首辭情感人的小令。

浣溪沙

不信芳春厭老人，老人幾度送餘春。惜春行樂莫辭頻。 巧笑艷歌皆我意，惱花顛酒拚君瞋，物情惟有醉中真。

詞解 此詞爲惜春行樂之作。詞人明白地講出：「不信美好的春色會厭

胡仔《苕溪漁隱叢話》：詞句欲全篇皆妙，極爲難得。

陳廷焯《白雨齋詞話》：方回筆墨之妙，真乃一片化工。

棄我這老人，幾年來我都送走了餘春。惜春傷時應該盡情行樂，不要怕歡宴太過於頻繁。」表現出詞人熱愛春色，人老心不老之意。

巧笑艷歌正合詞人的心意，讓他回憶起青春時代的風流艷韻。他愛花情切，惱其匆匆棄人而去，因此拚命在春花未謝之際觀花飲酒，以致酒醉狂顛，讓人嗔怪。他這樣顛狂任誕，是因爲衹有酒醉中纔能渾然忘卻自我，體會到眞趣眞情，獲得一種超塵離俗的人生樂趣。全詞直抒胸臆，類似酒中狂語，頗有豪放自適的情懷。

浣溪沙

樓角初銷一縷霞，淡黃楊柳暗棲鴉，玉人和月摘梅花。

笑捻粉香歸洞戶，更垂簾幕護窗紗，東風寒似夜來些。

詞解　高樓房角之上，一縷晚霞正在慢慢消失，天色漸漸暗了。初春時淡黃色的楊柳樹上，烏鴉棲息在樹枝之間。一位美人正在月色下採摘梅花，這清幽淡雅的情景讓人頓生超塵絕俗之感。

這位美人手裏捻著幽香的梅花，笑吟吟地回到深閨裏去。她回房以後，放下簾幕擋住窗紗，因爲東風吹來，比入夜時又冷了一些，她想讓屋子裏暖和一些，免得凍壞了剛摘的梅花。這番細心呵護，足見她的愛梅之情。

蝶戀花

幾許傷春春復暮，楊柳清陰，偏礙遊絲度。天際小山桃葉步，白蘋花滿湔裙處。

竟日微吟長短句，簾影燈昏，心寄胡琴語。數點雨聲風約住，朦朧淡月雲來去。

詞解　這是一首傷春懷人的詞。無論詞人多麼留戀春天，暮春還是到了，楊柳濃蔭清涼，滿天遊絲飄舞，這富有暮春時節特徵的景象不免讓人心生惆悵。詞人遙想當初，他與戀人在水邊洗衣處分手離別之時，遍野開滿了白蘋花。他見春景而傷神斷腸，其實正是因爲懷念昔日的戀人。

離別之後，詞人深深地思念他的戀人。春日閑寂，他整天寫詞來寄託自己的感情，在昏暗的燈光下，他彈起胡琴，也是爲了傾吐心曲，這兩個細節表現了詞人對戀人無盡的思念。夜來下起了寒雨，然而很快幾點細雨便被風吹散了，天空中衹見一彎朦朧的淡月，幾朵雲彩悠然來去。這清幽的景色，襯託著詞人心中的哀傷，以景結情，語淡而情深。

毛晉語蘆川詞人稱其長於悲憤及讀花庵草堂所選又極嫵秀之致真堪與片玉白石並垂不朽

楊慎詞品草堂詩餘選其春水連天及捲珠箔二首膾炙人口

張元幹

石州慢

寒水依痕，春意漸回，沙際煙闊。溪梅晴照生香，冷蕊數枝爭發。天涯舊恨，試看幾許銷魂，長亭門外山重疊。不盡眼中青，是愁來時節。　情切，畫樓深閉，想見東風，暗消肌雪。孤負枕前雲雨，尊前花月。心期切處，更有多少淒涼，殷勤留與歸時說。到得再相逢，恰經年離別。

詞解　這首詞是詞人晚年離鄉思歸之作。冬去春來，萬物復甦，寒冷的溪水露出漸漸下落的痕跡，沙際迷茫開闊。在明媚的陽光下，溪邊的梅樹上綻開朵朵梅花，散發出清幽的香氣。然而這美好的景色並不能讓詞人感到歡樂，因為他流落天涯，滿心都是離愁別恨。在長亭門外，他放眼望去祇見青山重重疊疊，這連綿的青山就像他心中無盡的愁緒，春日卻成了他犯愁的季節。

漂泊天涯，情思無窮，詞人深切地懷念親人。他設想家中的妻子獨居畫樓深院，因為日夜思念丈夫而日漸憔悴消瘦，從前夫妻兩人花前月下的美好生活都已不復存在。詞人離別在外，他心中殷切盼望的就是回家與親人相見，訴說心中的無限淒涼。然而等到歸來重見的時候，恐怕已經離別多年了，那時重逢的喜悅祇怕也不能抵消離別的悲苦了。

蘭陵王

捲珠箔，朝雨輕陰乍閣。闌干外、煙柳弄晴，芳草侵階映紅藥。東風妒花惡，吹落梢頭嫩萼。屏山掩，沉水倦熏，中酒心情怯杯勺。尋思舊京洛，正年少疏狂，歌笑迷著。障泥油壁催梳掠，曾馳道同載，上林攜手，燈夜初過早共約。又爭信漂泊？　寂寞，念行樂。甚粉淡衣襟，音斷絃索。瓊枝璧月春如昨。悵別後華表，那回雙鶴。相思除是，向醉裏，暫忘卻。

詞解　詞人捲起珠簾，見到閣樓外的春景：朝雨過後，天氣還微有些陰冷，輕煙籠罩的柳條隨風輕拂，在新晴照耀下顯得生機勃勃。地上的芳草長到臺階上，與紅芍藥相映成趣。然而好景不長，東風挾著妒惡的情緒吹落了枝頭初生的花朵。屏風掩著詞人，他久熏沉香已經有些倦怠了，何況醉酒之後觸景傷春，已沒有心情再飲酒行樂。

回想年輕時，詞人在京城裏過著浪漫狂放的生活，曾一度迷戀於歌舞名

妓：他催促美人快些打扮，好一同出遊，攜手在上林苑裏與美人並肩而行。剛剛過了元宵節，又早早約定再次重逢。那縱情行樂的時候，他怎會想到時局變幻，自己在經歷了靖康國難後，又遭棄置江南，漂泊異鄉！

離開京城以後，詞人感到非常寂寞，他深深懷念當初那些快樂的日子。花好如玉，月圓如璧，這美好的春色還同當年一樣，可是當日那些與他交好的女子已音信杳無，快樂的生活已經結束，衹留下無盡的惆悵和思念。這片眷戀故國的相思和別恨，除非在醉裏纔能暫時忘卻，然而詞人醉酒添愁，怯於杯勺，他求醉不得，心中的痛苦終難消除。這首詞作情韻兼勝，寓別恨之情於清曠的境界之中，既沉鬱又婉麗。

葉夢得

賀新郎

睡起啼鶯語，掩青苔、房櫳向晚，亂紅無數。吹盡殘花無人見，惟有垂楊自舞。漸暖靄、初回輕暑。寶扇重尋明月影，暗塵侵、尚有乘鸞女。驚舊恨，遽如許。　江南夢斷橫江渚，浪粘天、葡萄漲綠，半空煙雨。無限樓前滄波意，誰採蘋花寄取？但悵望、蘭舟容與。萬里

俞陛雲唐五代兩宋詞選釋殘花二句喻無限離懷衹堪獨喻

彭遹孫語若使語意淡遠者稍加刻畫鏤金錯采者漸近天然則駸駸乎絕唱矣

雲帆何時到？送孤鴻、目斷千山阻。誰爲我，唱《金縷》？

詞解 濃睡醒來，詞人聽見黃鶯啼鳴，漸漸到了傍晚時分，無數落花飄落在窗前的地面上，掩蓋了青苔。輕風吹落了殘花，沒有人看見這淒美的景致，衹有垂楊在風中悠然自舞。春盡夏來，天氣初熱，暮靄也漸漸暖熱起來。因爲天氣初暑，詞人重尋寶扇，扇子上雖然已蒙上了塵土，但上面畫的仙女還清晰可見。詞人看到扇上的仙女，不由觸發了相思之情，忽然之間他驚覺心中的離愁是如此之多。

追憶從前在江南時的往事，江中波濤拍天，一江春水如葡萄酒一樣碧綠。這空闊的景色，撩起詞人悵望期待之情。他懷念遠方的佳人，然而雲帆不到，山河阻隔，相會無期，詞人不由發出一聲喟歎：「誰來爲我唱《金縷》曲？」大好年華獨自度過，怎麼能不讓他痛惜年華易逝呢？

虞美人

雨後同千譽、才卿置酒來禽花下作。

落花已作風前舞，又送黃昏雨。曉來庭院半殘紅，惟有遊絲千丈罥晴空。 殷勤花下同攜手，更盡杯中酒。美人不用斂蛾眉，我亦多情無奈酒闌時。

詞解 這是一首惜花傷春、惜別傷懷的抒情小令。落花在風中飄零，黃昏時分又下起了陣陣細雨，淸晨起來，庭院裏大半地面爲落花覆蓋，衹有滿天的遊絲在万里晴空中裊裊飄舞。

來禽花雖然大半已零落，但尚有殘花綴於枝梢，因此詞人殷勤地邀請千譽、才卿諸位友人攜手同遊賞花。殘花將盡，乘時遊賞，故友相聚，自當放懷暢飲。詞人勸侍酒的美人：「不要爲了花殘春去、酒闌人散而斂眉傷感，我也是多情多愁之人，衹是酒已喝乾，無可奈何，還是灑脫一點好。」全詞筆致簡淡，因景興感，景衰而不萎靡，情悲而不抑鬱，頗見詞人曠達雅淡的性情。

汪藻

點絳唇

新月娟娟，夜寒江靜山啣斗。起來搔首，梅影橫窗瘦。 好箇霜天，閑卻傳杯手。君知否？亂鴉啼後，歸興濃如酒。

黃蓼園蓼園詞選此首寫在外棲棲不得意思家之作耳

詞解 美好明亮的月光，映照著寒夜中靜靜流淌的江流，遠處的山峰啣著北斗七星等衆多星宿。明月觸動了詞人內心的情思，他難以入眠，因此起來搔首徘徊。月光照映下，梅枝在窗櫺上投下橫斜的瘦影。在這清幽寂靜的夜裏，詞人怎能不生發懷鄉思人之情呢？

這明月新滿、寒霜高潔的秋天是多麼靜美，正是賞月飲酒的良宵，然而詞人滿懷孤獨寂寞，無心飲酒，以致沒能體會到傳杯接盞的樂趣。詞人遙問遠方的愛人：「你知道嗎？當聽到歸巢的烏鴉紛亂的啼叫後，我歸家的意興總是濃郁似酒。」亂鴉夜啼最易觸動遊子歸思，因此詞人期盼歸家與愛人團聚，以慰藉自己的孤獨。這首詞寫景清麗曠遠，抒情含蓄而隱曲，有哀怨而不露，耐人尋味。

劉一止

喜遷鶯・曉行

曉光催角，聽宿鳥未驚，鄰鷄先覺。迤邐煙村，馬嘶人起，殘月尚穿林薄。淚痕帶霜微凝，酒力衝寒猶弱。歎倦客，悄不禁重染，風塵京洛。

追念人別後，心事萬重，難覓孤鴻託。翠幌嬌深，曲屏香暖，爭念歲華飄泊？怨月恨花煩惱，不是不曾經著。者情味、望一成消滅，新來還惡。

陳振孫直齋書録解題劉一止有曉行喜遷鶯一闋即曉光催角聽宿鳥未驚鄰鷄先覺之詞也一時盛傳號劉曉行

詞解　拂曉時分，太陽還沒有昇起，夜宿的鳥兒尙未驚醒，而四鄰的雄鷄卻早早地引頸啼鳴，詞人起身趕路，迤邐行過煙霧籠罩的村落，路上還望見殘月高懸在草木叢林之上。走在路上，他的淚痕微微凝結成了寒霜，酒力也無法完全抵擋清晨的寒意。詞人羈旅多年，早已厭倦了離鄉客居的生活，不禁感歎自己又滿身風塵，不得不前往京城。

詞人懷念愛人，與她離別之後，儘管他有滿腔柔情和思念，卻無法傳遞書信來傾訴心曲。翠幌深閨的佳人，曲屏暖帳的溫香，全因爲他漂泊天涯而辜負了青春年華。詞人望見皎潔的明月和嬌艷的花朵，想起從前和愛人在一起的日子，從而生起相思之情，因此他不禁怨恨明月和鮮花給他帶來了無窮煩惱。詞人想要消滅這份煩惱之情，不料煩惱深而酒力弱，花好月圓更增離愁，近來的心情還是依然那麼不好。全詞寫景叙事，情境真切，深婉地展現了詞人孤寂幽凄的心態。

韓嘐

高陽臺·除夜

頻聽銀籤，重燃絳蠟，年華袞袞驚心。餞舊迎新，能消幾刻光陰？老來可慣通宵飲？待不眠、還怕寒侵。掩清尊、多謝梅花，伴我微吟。　鄰娃已試春妝了，更蜂腰簇翠，燕股橫金。句引東風，也知芳思難禁。朱顏那有年年好，逞艷遊、贏取如今。恣登臨、殘雪樓臺，遲日園林。

詞解　這首詞抒發了詞人在除夕守歲時對年華飛逝的感慨，鼓勵青年珍惜時光及時行樂。除夕之夜，詞人頻聽更漏，重燃紅燭，他對年華匆匆而過感到十分驚心。辭舊迎新，守歲能消磨幾刻光陰？人到老年，已不習慣像年輕人那樣通宵暢飲，可是若要守歲不眠吧，又怕夜寒侵身。詞人掩上酒杯，對著寒梅抒懷，也算是除夕寒夜有知音，因此他不禁對梅花產生了感激之情。

鄰家的年輕姑娘試穿新春紅妝，她們身著錦衣，簇翠橫金，顯出年輕人的青春美貌。她們若是去勾引東風，東風也一定會芳思難禁。可是人的青春時光短暫，青春容顏哪能始終這樣姣好，詞人勸年輕人應該盡興地逞艷縱賞，登臨冬末時的殘雪樓臺，觀賞春日風光明媚的園林，贏取眼前的良辰美景。姑娘們花枝招展，年輕人的遊冶情趣，是老人所羡慕的，詞人鼓勵他們珍惜時光，及時行樂，也含有自己羨慕和慨歎之意。

陳廷焯白雨齋詞話宋李漢老有問玉堂何似茅舍疏籬之句一時膾炙人口然此語亦似雅而俗

李邴

漢宮春

瀟灑江梅，向竹梢疏處，橫兩三枝。東君也不愛惜，雪壓霜欺。無情燕子，怕春寒、輕失花期。卻是有、年年塞雁，歸來曾見開時。 清淺小溪如練，問玉堂何似，茅舍疏籬？傷心故人去後，冷落新詩。微雲淡月，對江天、分付他誰。空自憶、清香未減，風流不在人知。

詞解 這是一首詠梅詞。瀟灑的江梅，在竹梢疏落之處橫著兩三枝梅枝。東君也不愛惜梅花，任由它遭受霜雪的欺壓。無情的燕子，因爲害怕料峭春寒，也不肯與梅花做伴。衹有年年飛過的塞雁，歸來時曾看見開放的梅花。這超凡脫俗的梅花卻忍受著這樣孤獨而險惡的環境，正表現了詞人官場失意、身處逆境。

梅花堪賞，清淺的小溪宛如一疋白練，這鄉野間的景象是多麼清新怡人。住在富貴人家的宅第，又哪裏比得上住在茅舍疏籬裏呢？詞人表達了自己歸隱田園、怡然自得的心情。然而他傷心的是離開了朋友。沒有朋友在身邊，他感到十分寂寞，無心寫詩。面對著微雲淡月和空闊江天，不知能夠對它們說些什麼。他衹能空自追憶，忍受寂寞，就像這梅花一樣，儘管沒有人來欣賞，它的清香卻依然不減。詞人讚美梅花自甘寂寞、潔身自好，其實這正是詞人自身精神和人格的寫照。

許昂霄詞綜偶評神到之作無容拾襲漁隱稱爲清婉奇麗玉田稱爲自然而然不虛也

陳與義

臨江仙

憶昔午橋橋上飲，坐中多是豪英。長溝流月去無聲。杏花疏影裏，吹笛到天明。 二十餘年如一夢，此身雖在堪驚。閑登小閣看新晴。古今多少事，漁唱起三更。

詞解 詞人流落到南方之後，回想起從前在洛陽的美好情景：當年在午橋與朋友們宴飲之時，在座衆人個個都是英雄豪傑。長長的河道裏，水波映著月色靜悄悄地流淌著。詞人和朋友們在杏花疏落的影子裏，吹笛奏樂直到天亮。

二十多年過去了，世事變遷，恍然如夢。北方故國的大片土地已被金兵佔據，詞人身雖健在，回首往事卻也時時感到心驚。閑來無事，他登上閣樓仰望雨後晴朗的夜空，想起古往今來許多的世事變化，這時聽見遠遠傳來的漁唱之聲，眞是令人不勝感慨。

蘇武慢

雁落平沙，煙籠寒水，古壘鳴笳聲斷。青山隱隱，敗葉蕭蕭，天際暝鴉零亂。樓上黃昏，片帆千里歸程，年華將晚。望碧雲空暮，佳人何處，夢魂俱遠。

憶舊遊、邃館朱扉，小園香徑，尚想桃花人面。書盈錦軸，恨滿金徽，難寫寸心幽怨。兩地離愁，一尊芳酒淒涼，危闌倚遍。盡遲留、憑仗西風，吹乾淚眼。

詞解　大雁落在平闊的水邊沙地上，輕煙籠罩著寒冷的江水，從遠處傳來陣陣悲涼的嗚笳聲。青山隱隱若現，枯葉蕭蕭飄落，天邊凌亂地飛過幾隻歸鴉。黃昏時分，詞人倚樓遠望，衹見江面上片片小舟從遠處歸來，一年的時光就快要過去了，面對這秋江黃昏的淒涼景色，詞人不禁懷念起遠方的佳人。可是佳人渺遠千里，不知身在何處，詞人衹能望著傍晚的碧雲黯然神傷。

回憶過去相聚之時，在深院朱戶、小園香徑上，他們的幽會是多麼快樂。從前的歡樂與眼前的漂泊形成了鮮明的對照，更讓詞人感到淒苦難當。無論是用書信來抒發，還是借彈琴來宣泄，都無法排遣他滿心的幽怨。他與佳人分隔兩地，離愁難消，獨自飲酒更是倍感淒涼，因此他纔登樓倚欄遠望。可是登高望遠衹是平添了他的相思，他久久佇立，任由西風吹乾了眼淚。全詞由淒涼轉爲纏綿、悲婉，更轉入悲愴，留下了那個亂離時代的痕跡。

柳梢青

數聲鶗鴂，可憐又是、春歸時節。滿院東風，海棠鋪繡，梨花飄雪。

丁香露泣殘枝，算未比、愁腸寸結。自是休文，多情多感，不干風月。

詞解　鶗鴂悲切地啼鳴了幾聲，可憐又到了暮春時節。東風吹過，滿院裏落花飄零，海棠花鋪在地上好像一片錦繡，而梨花簌簌凋落就像雪花一般。這美麗而淒清的暮春之景，怎麼能不觸動詞人的滿懷愁思呢？

殘枝上的丁香花帶著的露水，仿佛是它流下的淚水，可是它這點哀愁卻比不上詞人的愁腸百結。詞人爲什麼這樣愁怨？他自陳心曲：「我自是像沈約一樣，因懷才不遇而鬱鬱寡歡、心懷苦悶，我多情多愁的心緒，與風月並無關係。」他不過是借惜花傷春的情緒，來慨歎自己的身世之悲而已。

陳廷焯詞則閑情集從愁人耳中聽得

周紫芝

鷓鴣天

一點殘釭欲盡時，乍涼秋氣滿屏幃。梧桐葉上三更雨，葉葉聲聲是別離。 調寶瑟，撥金猊，那時同唱《鷓鴣詞》。如今風雨西樓夜，不聽清歌也淚垂。

詞解 全詞寫詞人秋夜思念戀人。一點將滅的燈火搖曳著，秋夜清冷，屏幃之間都能感覺到寒意了。在這寂寞淒清的夜晚，詞人深夜難眠，他聽著窗外細雨打在梧桐葉上的淅瀝之聲，衹感到一聲聲都觸動了他的離別之情。追懷往昔，詞人與情人歡聚之時是多麼快樂。他們焚香彈琴，合唱情歌《鷓鴣詞》，何等溫馨。而如今風雨淒淒，詞人獨卧西樓，今昔的哀樂反差如此強烈，即使不聽那些哀傷婉轉的情歌，他也忍不住要傷心落淚，由此可見詞人心中的思念和哀怨是多麼深切。

踏莎行

情似遊絲，人如飛絮，淚珠閣定空相覷。一溪煙柳萬絲垂，無因繫得蘭舟住。 雁過斜陽，草迷煙渚，如今已是愁無數。明朝且做莫

陳廷焯《詞則·放歌集》：信筆抒寫，卻仍鬱而不露，耐人玩索。

思量，如何過得今宵去！

【詞解】此詞爲春日送別相思之作。暮春時節，遊絲與柳絮漫天飄飛，它們既象徵著無盡的愁緒，又象徵著詞人漂泊無定的命運。詞人與情人飽含淚水地深情凝視著，在這離別之際，縱有千言萬語也難以表達他們心中的哀愁與不捨。溪水邊輕煙籠罩的柳樹垂著千萬條柳絲，但卻無法繫住離人的行舟，詞人埋怨柳樹，正反映出有情人的無奈。

蘭舟漸漸遠去，大雁在斜陽夕照中飛過，煙霧籠罩的沙洲上芳草迷離，這暮靄蒼茫的景象眞讓詞人感到相思離愁深重無比。就算不去想明天如何，眼前離愁深重難熬，如何度過今宵？明日相隔更遠，離愁自然也更深，以今宵來襯託明日，感情層層推進如波瀾起伏，眞摯而婉曲，更見愁恨之深。

李甲

帝臺春

芳草碧色，萋萋遍南陌。暖絮亂紅，也似知人、春愁無力。憶得盈盈拾翠侶，共攜賞、鳳城寒食。到今來，海角逢春，天涯爲客。　愁旋釋，還似織；淚暗拭，又偷滴。漫倚遍危闌，盡黃昏，也祇是、暮雲凝碧。拚則而今已拚了，忘則怎生便忘得。又還問鱗鴻，試重尋消息。

【詞解】這首詞寫暮春時節詞人對遠在天涯的情人的思念。碧綠的芳草，萋萋開滿了南陌。柳絮送暖、落紅紛亂，它們好像也知道詞人心裏的春愁。回憶往昔，詞人與情人在春日裏外出遊樂，攜手共賞鳳城的寒食春景。而如今，春日還是如此美好，詞人卻流落天涯、身爲異客，今昔的對比祇會讓他萬般愁苦。

詞人心中的相思愁情連綿不絕，難以排遣。愁情剛剛有所消退，隨即又愁緒交織。纔擦去眼角的悲淚，淚水卻又悄然滴落。詞人久久地倚欄佇望，直到黃昏時分，然而他祇能空望見深碧的暮雲，卻望不見情人的倩影。詞人已經拚盡全力去忘記心中的愁緒，可是這愁緒實在是因爲佳人而起，又怎能說忘便忘呢？於是他決定，與其竭力忘記，不如託魚雁傳書，試著重新獲取佳人的消息。這幾句詞直抒胸臆，表現出詞人的相思之情。

憶王孫·春景

萋萋芳草憶王孫。柳外樓高欲斷魂。杜宇聲聲不忍聞。欲黃昏，雨打梨花深閉門。

詞解 萋萋芳草綿延千里，一直伸展到遙遠的天邊，而遠行的人更在天涯芳草外，閨中人對他的思念就好像這芳草一樣綿綿不絕。思婦身居高樓之地，她極目遠望而不見夫君歸來，心中滿是孤獨和失落。在她黯然神傷的時候，杜鵑鳥一聲聲淒切的啼鳴更是增添了她的愁苦心情。黃昏漸漸降臨，又下起了陣陣細雨，雨滴不斷打在梨花上。她害怕聽到杜鵑的悲啼，害怕見到黃昏時淒涼的暮景，因此她藏在深閨中，想要將那些觸動她傷心的事物關在門外。這一舉動，傳神地表現出了相思的淒楚。這首詞通過寫景來表現春愁閨怨這一主題，用淒清的景物傳達出一種傷春懷人的意緒，耐人尋味。

万俟詠

三臺・清明應制

見梨花初帶夜月，海棠半含朝雨。內苑春、不禁過青門，御溝漲、潛通南浦。東風靜，細柳垂金縷。望鳳闕、非煙非霧。好時代，朝野多歡，遍九陌、太平簫鼓。

乍鶯兒百囀斷續，燕子飛來飛去。近綠水、臺榭映鞦韆，鬥草聚、雙雙遊女。餳香更、酒冷踏青路。會暗識、夭桃朱戶。向晚驟、寶馬雕鞍，醉襟惹、亂花飛絮。

正輕寒輕暖漏永，半陰半晴雲暮。禁火天、已是試新妝，歲華到、三分佳處。清明看、漢蠟傳宮炬。散翠煙、飛入槐府。斂兵衛、閶闔門開，住傳宣、又還休務。

詞解 清明時節，梨花映照著月色，海棠含著朝雨。內苑裏春色無限美好，御溝裏春水上漲，暗暗通到南浦。東風靜止之時，纖細的柳樹垂下金色的嫩枝，遠望鳳闕，籠罩著濛濛一片柳絮。在這大好時節，京城開禁，朝野歡慶，都城中的條條大道上都奏起了太平簫鼓之樂。

黃鶯百囀啼鳴，燕子翩翩飛舞，一派春意盎然的歡快景象。在綠水池塘旁邊，臺榭掩映著鞦韆，一群外出遊玩的婦女聚在一起做鬥草遊戲。遊人在歡宴之後，乘醉踏青路，來到了桃花樹下曾經相識的人家處，傍晚時分騎馬回家，衣襟上沾滿了飛絮和落花。百姓盡情遊樂，顯出太平盛世的歡樂場面。

清明時節，氣候輕寒輕暖的，一日裏半陰半晴，很快又到了傍晚。在這禁火之日，人們已經開始試新裝了，時光到了一年中最美好的時候。皇帝恩德浩蕩，對寵貴大臣特加恩賜，命官府公休，對萬民則撤除門禁，使朝野同樂。

綜觀全詞，詞人雖爲歌頌太平，但也反映了當時的社會風情，可以當作一幅「清明遊樂圖」來觀賞。

黃蓼園蓼園詞選辭意婉曲深致最耐諷詠

王灼碧雞漫誌田不伐極能寫人意中事雜以鄙俚曲盡要妙當在万俟雅言之右然莊語輒不佳

徐伸

二郎神

悶來彈鵲，又攪碎、一簾花影。漫試著春衫，還思纖手，熏徹金猊燼冷。動是愁端如何向？但怪得、新來多病。嗟舊日沈腰，如今潘鬢，怎堪臨鏡？

重省。別時淚濕，羅衣猶凝。料爲我厭厭，日高慵起，長託春酲未醒。雁足不來，馬蹄難駐，門掩一庭芳景。空佇立，盡日闌干倚遍，晝長人靜。

詞解　詞人被迫與心愛的侍妾分別之後，滿懷苦悶，百無聊賴，他聽見喜鵲的啼鳴感到心煩意亂，於是用彈弓把喜鵲趕走。這樣一來，卻又攪碎了垂簾上的花影。他心灰意懶地試穿春衫，無意中又想起了愛妾的纖纖玉手。他整天無處排遣相思和寂寞，獨自呆坐在屋裏，直到香料在香爐裏燃燒殆盡。自從失去愛妾後，詞人動輒觸動愁緒，這一腔的惆悵鬱悶該怎麼纔能排遣呢？無盡的思念和愁緒讓他日漸憔悴，昔日病身，又添白髮，竟不敢臨鏡對視，深切地表現出對侍妾的眞情摯意。

詞人想起與侍妾分別的時候，她淚流滿面，眼淚把衣服都霑濕了，她對自己也是一往情深啊！因此詞人設想侍妾現在也應該在懷念著自己，爲自己而神疏意懶，空虛寂寞。她一定也是夜夜借酒澆愁，宿酒而眠，白天日高而懶起，神情慵散，無心攪鏡梳妝。大雁不肯飛過，音書斷絕；馬兒不肯在門前駐足，冷清寂寞。院門深掩，鎖著一院的淒涼孤寂。百無聊賴，白天的日子長得可恨，她整天登樓倚欄，翹首企盼，把欄杆都倚遍了，仍等不到要等的人兒。全詞抒寫纏綿而複雜的感情，既照顧到情緒的微妙變化，又把感情漸次推向高峰，詞情婉曲動人。

田爲

江神子慢

玉臺掛秋月，鉛素淺、梅花傳香雪。冰姿潔，金蓮襯、小小凌波羅襪。雨初歇，樓外孤鴻聲漸遠，遠山外、行人音信絕。此恨對語猶難，那堪更寄書說。

教人紅消翠減，覺衣寬金縷，都爲輕別。太情切，消魂處、畫角黃昏時節，聲嗚咽。落盡庭花春去也，銀蟾迥、無情圓又缺。恨伊不似餘香，惹鴛鴦結。

詞解　這是首寫閨怨的長調。分別之時，秋月懸掛在天邊，月光如流水一

黃蓼園蓼園詞選語語超雋自是一篇拔俗文字

般傾瀉在梅花之上。思婦著意梳妝，送夫君離開，眞是難捨難分。送走夫君之後，她的生活陡然變得空虛茫然起來，高樓外的大雁越飛越遠，夫君也越行越遠，遠在那重重青山之外，漸漸音訊斷絕。她心中鬱結的離愁別恨，當著他的面都很難說出口，更何況用寫信的方式和他訴說了。衹有讓這一片別情不停地在心頭縈繞、煎熬罷了。

對遠人的思念，讓她不覺已是紅顏憔悴，日漸消瘦，衣帶漸寬。他的輕言離別，讓思婦陷入了無法自拔的相思苦悶之中。黃昏時分，悲切的畫角聲響起，此情此景，更讓人黯然銷魂，肝腸寸斷。春花落盡，那無情的明月自顧自地圓了又缺，缺了又圓，全然不管人間的離情別苦。她不禁對遠行的夫君產生了怨恨之情：「你呀，還不如殘荷的餘香，這餘香尚且與鴛鴦結伴，而你卻使我落得如此孤單寂寞。」怨恨之中，別有深情。

曹組

驀山溪·梅

洗妝真態，不作鉛華御。竹外一枝斜，想佳人、天寒日暮。黃昏院落，無處著清香，風細細，雪垂垂，何況江頭路。月邊疏影，夢到消魂處。結子欲黃時，又須作、廉纖細雨。孤芳一世，供斷有情愁，消瘦損，東陽也，試問花知否？

詞解 這是首詠梅詞。梅花洗盡鉛華脂粉，斜斜伸出竹外，有如幽獨高潔的佳人。詞人描摹梅花清逸的姿態，也表現出它高尚的品格。然而梅花的清香無人知賞，它藏在黃昏院落，其清香無處寄託，更何況在偏僻江頭路旁，又遭風雪交摧，實在是孤寂不幸。詞人對梅花孤芳無賞的命運深表同情和傷惋。

淡淡的月光映照著稀疏的梅花，詞人見了爲之銷魂。梅花結子將要成熟的時候，又遭遇綿綿細雨。梅花一生孤高清香卻頻遭摧殘，使同情和喜愛梅花的有情者爲之平添無窮愁傷。詞人爲了梅花多情憔悴，消瘦有如沈約，梅花可知道嗎？詞人惜梅、愛梅，正是以梅的品格和境遇映襯自身孤高幽獨的情操和不幸的身世際遇。

李玉

賀新郎

篆縷消金鼎。醉沉沉、庭陰轉午，畫堂人靜。芳草王孫知何處？惟

黃蓼園《蓼園詞選》：情詞旖旎，風骨姍姍，幽秀中自饒雋旨

有楊花糝徑。漸玉枕、騰騰春醒。簾外殘紅春已透，鎮無聊、殢酒厭厭病。雲鬢亂，未忺整。

江南舊事休重省。遍天涯、尋消問息，斷鴻難倩。月滿西樓憑闌久，依舊歸期未定。又祗恐、瓶沈金井。嘶騎不來銀燭暗，枉教人、立盡梧桐影。誰伴我，對鸞鏡？

【詞解】此詞爲春閨寂寞、思婦懷人之作。銅爐裏的香煙裊裊上昇，盤旋繚繞似篆文，又漸漸消散。庭院裏樹木的陰影轉過了正午的位置，幽靜的畫堂裏，深閨思婦春睡初醒。她所懷念的心上人不知身在何方，道路上祗見柳絮飄散，平添怨緒。她懷念戀人，終日無聊，因此病酒慵眠，方纔朦朧春醒。簾外已到了春暮花落的時節，她也像那落花一樣芳華虛度，乃至雲鬢蓬亂，無心梳妝，全是因爲思念戀人而日漸憔悴。

戀人杳無音信，思婦熱切地企盼他回來，恨不得插翅飛向天涯將他追尋。她獨自登上西樓，望著皎潔的月光灑滿大地，癡情地想象著戀人現在大概正想著回來，祗是日子還沒有確定，所以還沒有傳來書信吧。然而她自己也感到這樣的想象太天真了，祗怕他依舊不會歸來，自己的願望又會落空。「依舊」「又祗恐」「不來」幾句層層轉進，寫出她相思入骨的希望、憂恐與幻滅。戀人終不回來，有誰來陪伴她呢？晨起梳妝依舊祗能獨對鸞鏡。從中可以想見昔日她與戀人雙映鸞鏡、畫眉描容的甜蜜和今日獨對鸞鏡的悲愴。

況周頤《蕙風詞話》：塞鴻難問，岸柳何窮，別愁紛絮，神來之筆，即已佳矣

廖世美

燭影搖紅

題安陸浮雲樓

靄靄春空，畫樓森聳凌雲渚。紫薇登覽最關情，絕妙誇能賦。惆悵相思遲暮，記當日、朱闌共語。塞鴻難問，岸柳何窮，別愁紛絮。

催促年光，舊來流水知何處？斷腸何必更殘陽，極目傷平楚。晚霽波聲帶雨，悄無人、舟橫野渡。數峰江上，芳草天涯，參差煙樹。

【詞解】這是首登臨懷古借景抒情的詞。浮雲樓莊嚴高聳，凌駕雲霄，俯瞰沙渚，巍峨萬分。詞人聯想到，唐代詩人杜牧登覽浮雲樓時極爲動情，寫下了絕妙的詩章。而詞人在遲暮之年登覽此樓，較之杜牧更加動情，惆悵相思之情更加難以排遣。想當初他與情侶曾憑朱欄共語，而今離別後她音信杳無，不知身在何處。岸邊垂柳延綿無盡，柳絮紛飛，更觸發了他的離恨別愁。

楊慎《詞品》：佳處不減少遊

歲月如流，年光易逝，舊時倚欄共語處的樓下水，誰知今日又流到何處了呢？詞人登樓遠望，極目平楚，已經是傷心斷腸，又何必非要面對殘陽纔悲涼感傷呢？在晚霞照映下，江波帶著細雨，無人的野渡邊小舟順水橫置。江邊矗立著幾座山峰，萋萋芳草綿延到天邊，輕煙籠罩著參差的綠樹。詞人以這空闊蒼茫的暮景結情，傳達出登樓縱目的悠然情思。

呂濱老

薄倖

青樓春晚，晝寂寂、梳勻又懶。乍聽得、鴉啼鶯弄，惹起新愁無限。記年時、偷擲春心，花前隔霧遙相見。便角枕題詩，寶釵貰酒，共醉青苔深院。

怎忘得、迴廊下，攜手處、花明月滿。如今但暮雨，蜂愁蝶恨，小窗閑對芭蕉展。卻誰拘管？盡無言、閑品秦箏，淚滿參差雁。腰肢漸小，心與楊花共遠。

詞解　暮春時節，獨自呆在閨閣之中的少女，懶散無聊，無心梳頭洗臉，衹覺這白日漫長得讓人難以忍受。她忽然聽到窗外的鶯啼聲，惹起了心中無限的春愁。她記得去年的這個時節，她偷偷地向情郎表達了愛意，兩人花前月下，在霧氣朦朧之時私自幽會。兩人過了一段快樂的生活：一起在角枕之上題詩，以金釵做抵押換酒，然後一起醉倒在長滿青苔的深院之中，那是多麼的溫馨幸福。

怎麼能忘得了兩人曾經相約在迴廊下，攜手共賞明月嬌花的情景？而如今，情郎輕言離別，衹剩下她獨自面對著暮春時節的綿綿細雨，忍受著孤寂淒冷。眼前飛舞的蜜蜂和蝴蝶，都不停地撩撥著她心中的悵恨。獨坐在小窗前，對著窗前的芭蕉，她愈發感到百無聊賴。如今她還能和誰一起歡笑娛樂？衹能終日無言獨坐，寂寞難耐之時，就彈彈秦箏來排遣心中的苦悶。那淒切悲涼的箏聲，經常讓她淚流滿面，淚水滴在了箏柱之間。對情郎的思念，讓少女日漸憔悴消瘦，心中的情思如楊花一般飄蕩，縈繞在她的心上，遣之不去。全詞刻畫精微，意象婉美，愛情的甘苦歷歷在目。

首尾寫現實境況。「春晚」點時序，「寂寂」記氛圍，「梳勻又懶」點佳人心態，春禽觸發愁思。「記」領起回憶，申說「新愁」，傳情、約會、題詩、共醉，一幕幕場景，寫出與伊人熱戀情形，反襯如今離別之苦。